朝日新書
Asahi Shinsho 890

歴史の逆流

時代の分水嶺を読み解く

長谷部恭男　杉田　敦
加藤陽子

朝日新聞出版

まえがき

杉田　敦

　長谷部恭男さんとの対談は、本書と同じ朝日新書の『これが憲法だ！』（2006年）を作った時が最初でした。長谷部さんと長く話をしたのは、その時が初めてなのに、「どうもそんな気がしない。ずっと前から、色々と話をしてきた友人のように思えてくる」と、同書の「まえがき」に書きました。本当にそんな気持ちでした。長谷部さんがどう思われたかはわかりませんが。

　その後、2010年から年1回程度、2014年からは年数回ペースで朝日新聞の紙面に掲載されるようになりました。最初の対談からは16年も続いていることになります。この間、色々なことがありましたが、長く続いた安倍晋三政権に対しては、毎度毎度、いかに安倍流の政治が社会に分断を持ち込むものであり、官邸の権力が暴走しているかを指摘しなければならず、自分たちの話が「壊れたレコード」（もはや死語でしょうが）のようになっているのではないかという不安もなきにしもあらずでした。いくら指摘しても、強固な岩盤はビクともしていないのではないか、とも。

しかし、(私が色々と批判はしているものの実は尊敬している数少ない政治学者の一人である)大先輩の松下圭一さんは、「大事な話は何度も何度もしなければならない」といつも語っていました。世の中には、大事な話はなかなか浸透しないからです。長谷部さんも、憲法学者の樋口陽一さんから、同じ教えを受けたとのことです。

そういうわけで、長谷部さんと私は、「壊れたレコード」のように、大事な(と我々には思える)話を繰り返してきたのですが、安倍政治の流れがなかなか途絶えず、いくらなんでもそろそろ、という時期に至った頃に、絶妙なタイミングで加わってくださったのが加藤陽子さんです。加藤さんが菅義偉(すがよしひで)首相によって日本学術会議会員の任命を拒否され、一段と「名を上げ」られたのもきっかけでしたが、それ以上に、日本近代史についての加藤さんの学識、そして評論の見識の高さから、無理をお願いして、鼎談という形に切り替えました。

本書は、そのようにして成立した、2021年から22年秋までの鼎談を一冊に収めたものです。新聞紙上では紙面の関係で要約されていたものについても原形を復元し、整理のうえ、加筆を行いました。

2020年以来、歴史の歯車は大きく音を立てて回り出した感があります。ただし、歯車が前に進んでいるのか、それとも後ろに進んでいるのか、わからないのが不気味なところです。

コロナ対応、ロックダウン、緊急事態。国境を越えた侵略戦争の勃発。そして、不幸な歴史を想起させる政治家の銃殺や、国葬の復活など。

本書では、これらの出来事を切り口に、憲法学、政治学、歴史学を背景とする3名が縦横に語り合いました。そこにあらわれてくるのは、「壊れたレコード」のような歴史の反復なのか、それとも、それを超えた何かなのか。

編集協力　高橋和彦

歴史の逆流

時代の分水嶺を読み解く

目次

第4章　国家の歴史観と憲法　127

何が世の中を動かすのか　長谷部恭男　173

第5章　歴代最長政権と宗教　177

第1章
説明しない政治

菅政権の危機対応

杉田　国民の生命を守るというのは政府の最重要の存在意義ですよね。その点について、新型コロナ対策に追われた菅義偉政権の対応を振り返ってみましょう。

私は、菅内閣は「見ざる、言わざる、聞かざる」の政権だったと思います。まず現実を見ない。そして理由を説明しない。さらに質問や批判に耳を傾けない。これが菅さんの姿勢です。ある種閉じこもって、外界を遮断していたわけです。きちんと国民とコミュニケーションしないだけではなく、そもそもの前提として、見たくない現実は見ない。報道によれば、コロナ対策などについて、自分の気に入るようなデータを持ってきなさいと下の人に言うので、そういうデータしか上がってこなかった。見たいデータ、聞きたい話だけで判断していたとしたら、危機対応という点で、非常に危険な内閣だったと言えるでしょう。

加藤　菅政権は一言で言うと「下駄を履かされた政権」でした。「菅さんは長く官房長官を務めたほどの人だから、素晴らしい政治力があるに違いない」というふうに、われわれ国民の多くは期待して見ていたと思います。しかし実は、官房長官として見えていた政治力は、与党に忖度（そんたく）した新聞やテレビの報道ぶりなど、いわば非常に日本的な状況に支えられた「言葉」によって描き出されたものに過ぎなかった。当時、私立大学の医学部などの受験に際して、女子学生に限って高得点でも入学できないような、逆の得点調整がなされていたことが発覚しましたね。女子学生や浪人生以外には、実質的にはあらかじめ下駄が履かされていた。それと同じです。つまり、菅さんは下駄を履かされたうえで首相になったわけです。コロナ対策がうまくいかず、その事実がだんだんとわかってきたというのが菅政権だったと思います。

長谷部　私は「突っ込めー内閣」と呼びたい。ＧｏＴｏキャンペーン、ワクチン１００万人接種、東京オリンピックと、何かと目標を立てて突っ込んでいく。けれども、全体に目配りして交通整理をしている誰かが本当にいるのかどうか、よくわからない内閣で、どうも狭いところで、みんなでボールを蹴り合っているだけのようにも見えました。そういう意味では、大変不安を駆り立てられた内閣でした。

飲食店と営業の自由

杉田　新型コロナの予防の手立ては、ワクチンができるまで飲食店の規制ぐらいしかなく、あとはマスクや手洗いという具合でした。日本がいいとか悪いとかいうよりも、世界中がそうだった。私は今回、感染症学や公衆衛生学、疫学がスペイン風邪の１００年前からほとんど進歩していないということを知りました。実はそれが一番印象深かったんですね。

それで日本のコロナ対策では、飲食店での会食等がそこまで明らかに危険な行為かどうか、エビデンスが十分ではない段階で、営業の「規制」が行われました。毒薬を撒いているとか、誰が考えても明らかに有害な行為であれば当然に禁止できるけれども、そこまで有害性が明確でない以上、営業規制というやり方はやはり権力の使い方として問題ありではないでしょうか。

加藤　飲食店に対する「補償」の問題もありましたね。

長谷部　危ないことが誰にでもわかるかたちで営業している場合は、止めても問題はないでしょう。そもそも、そんな「営業の自由」を憲法は保障していません。そうである以上は、止めたからといって憲法29条3項「私有財産は、正当な補償の下に、これを公共のために用いることができる」に定められた補償をする必要もないはずです。

飲食店の中には、営業したからといって感染が広がる確かな証拠はあるのか、と納得できない方もいるでしょうが、必要やむを得ない場合に営業を止めることは構わないわけです。

もちろん、あらゆる場合に止めて構わないわけではない。私たちは十分感染予防に気をつけて営業しているというのであれば、憲法の保護している営業の自由の範囲に入ってくることはあり得ると思います。憲法上保護されている営業であれば、なぜそれを止めなければならないかの立証が必要ですし、29条3項に基づく補償も必要になってくる可能性はあるので、そこは分けて考える必要はあるでしょう。

ただ、憲法の保護の範囲に入ってくれば必ず補償しなければならないかというと、そこはもうワンクッションあります。「特別犠牲でなければ補償は不要」というのが判例通説です。世間一般に対してかかっている制約は、「我慢していることの恩恵はあなた方にも及んでいるのだから、みんなで我慢しましょう」というものです。そういう犠牲は補償しなくてもいい。

それに対して特別補償というのは、たとえば道路を作る場合に、「あなたの土地は道路の計画のど真ん中にあるから収用しますよ」という時には、道路ができればみんなの利益になるのに、その人の権利だけ取りあげるわけです。そういう土地を収用するのであれば、その土地と同等の土地が他で買える程度の補償はしないとフェアじゃない。つまり、公平性の問題なんですね。飲食店の方々の営業を止めた時の補償も、それが特別犠牲と言えるか言えないのかで判断は分かれると思います。協力金等、いろいろな名目の財政支援が現にありますが、それらが憲法上要求されるものか、それとも単なる政策判断で支給されているものか、はっきりとはしませんね。

杉田　政府・自治体の調査によると、感染経路については家庭内感染と高齢者施設などでの感染がほとんどで、飲食店はせいぜい10％程度と言われていたにもかかわらず、前者は止めにくいので飲食店に規制を集中させたわけです。それは無意味とは言わないけれども、やはりバランスが悪いと言わざるを得ないでしょう。

「コロナ敗戦」「インパール2020」

加藤　菅さん個人の能力の問題はもちろんあるけれども、やはりエビデンスに基づく判断ができないのは、日本の統治システムの宿痾（しゅくあ）ではないでしょうか。たとえば1941年の秋、東条英機内閣が過小に見積もられた船舶の喪失予想データなどを基に対英米開戦を決定した時と同じですね。それもあって私は「コロナ敗戦」とか「インパール2020」[*1]という言葉を使って、当時の政府のコロナ対策の愚を批判しました。

我々は、何かをやって思わしくない結果が出てしまった時、その失敗に学ばなければいけません。二度と同じような誤りを繰り返さないように頑張るわけです。そのために、情報収集の点でダメだったのか政策決定の過程でダメだったのか、最終的に「決める人」を決められなかったことでダメだったのかなど、様々なフェーズで原因を考える必要があります。失敗の過程を資料で跡づけなければ、また同じ失敗を繰り返すことになる。その意味でも「コロナ敗戦」と呼ぶにふさわしい状況だったと思います。

長谷部　失敗の原因としてよく指摘されるのは、情報の共有がうまくいっていない点ですよね。たとえば、先の大戦では海軍と陸軍が持っている情報を共有し合わなかった。あるいは2001年にアメリカで起きた「9・11」のテロについて、テロ実行に至るまでの過程で、ＦＢＩ

（連邦捜査局）やCIA（中央情報局）をはじめとするアメリカ政府の各部局の間で、情報の共有が適切になされていなかったとよく言われます。ただ戦争やテロは、全ての情報を公開してみんなで分かち合うわけにいかない側面もあります。

しかし、新型コロナのような疫病に関する対策において、あまり情報を出すわけにはいかない、情報の共有を控えるといった配慮が必要な局面はなさそうです。それにもかかわらず、情報共有がうまくいっていなかったとすると、やはり失敗であって、考え直さなくてはいけないでしょうね。

加藤　日本の社会は、多様性があるとは言いつつも均質です。だから、ものすごく情報伝達が早くて忖度の度合いも深い。つまり何が不都合なデータか、何が聞きたくないデータかというのが一夜にして伝わってしまうわけです。そこで問題になるのは、カウントすべきデータがきちんと共有されるかどうかなんですね。

日英米の開戦時に、昭和天皇が最も気にしたのは、英米合わせた海軍力に武力戦で勝てるか

＊1　インパール作戦：1944年1月、大本営はビルマ（現ミャンマー）の日本軍に対し、英軍の根拠地であるインド北東部インパールを先制的に攻略するための作戦を認可し、同年3月戦闘が開始された。しかし前線への補給は続かず、大本営は失敗を認め7月に作戦中止を命じた。撤退戦において将兵らは飢えや病気に苦しみ、作戦に従事した10万人中3万人が死亡、戦傷病者4万5千に達したとされる。多数の遺体が放置された撤退路は「白骨街道」と呼ばれた。

ということです。ドイツが英国に勝ったらそれを見たアメリカは降伏するだろうといった「たら・れば」ではなく、武力戦で勝てるかということを昭和天皇は聞いていた。それに答えるために、先ほど触れましたが、軍の側は英米の攻撃による日本の船舶消耗量が日本の船舶建造量よりも少ないという、船舶の喪失予想データを上げたわけです。

ただし、そのデータは今まさに戦っている第二次世界大戦中の数字ではなく、第一次世界大戦中のドイツのデータでした。第一次大戦では航空機による船舶に対する爆撃は考慮しなくてよい。そんなデータは全く意味がないですよね。でも、天皇にはその無意味なデータを示して、日独伊の枢軸国が頑張って船舶を建造すれば、英米側に撃沈されても大丈夫だ、武力戦に勝てる、と楽観的に伝えました。

こういう、一番カウントすべきデータを巧妙に隠してしまうという宿痾は、コロナ対策でも見られたわけです。たとえば、緊急事態宣言の発令基準が曖昧だったこと。カウントすべきデータを共有したうえでのエビデンスに基づく政策決定であれば、重症の病床の確保数で機械的に運用されるはずです。看護師や医者の人数からこれ以上は動かせないという病床数を、各現場がカウントしてそのデータを正直に示す。それを各自治体が認め、国が認める。それを超えたら緊急事態宣言という単純な話でしょう。

それなのに、昔でいえば軍、今であれば官僚は、上が望んでいることが何か、いわば言霊レベルでわかってしまい、データを隠すということが起こり、様々なコロナ対策が後手、後手になったのではないかと思います。

杉田　コロナ敗戦という言い方に対して、「いや、日本は外国よりうまくやっている。死亡者の数はアメリカやブラジル、ロシアより少ないじゃないか」などと反論する人がいます。でも私たちは、外国と戦っているわけではありません。我々が戦っているのはコロナであって、外国との比較はあまり意味がないでしょう。

コロナウイルスとの戦いにおいて、我々は非常に苦しい状況にあることは誰しも否定できないわけです。もちろん、これは日本だけではなくて諸外国もいろいろ苦労しています。一時期かなりうまくいっていた中国でも、厳しいロックダウンを繰り返し、それでも感染者が増えていたりする。そういう状況を見ると、間違いなく手ごわい相手との難しい戦いなんですね。

それなのに日本政府は情報を十分に出していない。特に私たち国民が科学的に推論できるようなデータをあまり出していません。あるいは出していても、非常にわかりにくいかたちでしか出さない。そしてさらにそのデータに基づく政策の決定過程が、非常に不透明ということがあります。

加藤さんがおっしゃったインパールの比喩も大事な指摘だと思う。インパール作戦は、ここで物資を獲得したら、それを持って次のところへ行って、そこでまた調達するというものでした。たとえば、ウマに乗ってある地点まで行ければ、そこでウマを食べればいいから、食料の調達は特に考えなくていいとか、石油のあるところまで行けばそこで石油を調達できるので大丈夫、というような作戦だったわけです。いわゆる兵站（へいたん）、ロジスティックスの裏付けがなく、場当たり的なものでした。どこかで躓（つまず）いた時にどうするか、という準備がない。コロナ対策もそれと同じような構造でした。つまり、ここでワクチン接種が進めば、もう感染は収まるだろうという希望的観測に基づいて、検査や医療体制の整備をサボる。要するに最悪の事態の想定をしないというのがインパールになぞらえられる所以です。日本の問題点は、まさにそこにあると思いますね。

加藤　日本の統治システムの宿痾を一言でいえば、歴史から学ばないということでしょう。歴史は確かに一回性のものだけれども、我々が失敗を繰り返さないためには、常に歴史を参照しながら考えていくことがとても重要です。今の時点からきちんと振り返ることで、初めて歴史が見えてくる。

杉田　政治学を含め、社会科学の特徴は、自然科学と違って実験ができない点にあります。たとえば政治学の場合、こうなったら革命が起きるだろうと実験することは許されません。自然科学の中にも実験できないものはありますが、ほぼ実験で証明できる。そうした中で、歴史を学ぶというのは、いわば実験の代わりなんですね。過去の似たような事例、もちろん必ず違いはあるけれども、ある程度共通項があるような事例を見て調べて、こうなったら革命が起きるだろうといった具合に考察する。全ては一回ごとに違うからと歴史を調べなくなってしまえば、社会科学というか、社会について分析的に考えることは一切成り立たなくなってしまうわけです。

データを使いこなせない国

加藤　我々は、たとえば夜にビールを飲んでテレビのニュースを眺めながら、こんなに飲食店が困っている、倒産の危機が迫っている、一方で、持続化給付金の詐欺が行われているといった情報も知ります。ただ、そのようなニュースは全体の何百分の1かの情報、いわばお気持ちの報道に過ぎません。けれどもそれを通じて、我々は「不幸の均霑（きんてん）」とばかりに癒やされてしまう面があるわけですね。

一方で、長谷部さんがおっしゃった29条3項に言及するような報道は非常に少ない。また、持続化給付金を誰が申請してどれだけもらったか、その額はその人たちの経営に対して焼け石に水だったかどうか。そういうデータもあまり報道されません。これは何もコロナの報道に限りません。やはり日本はそもそもデータというものをきちんと使えない国なのではないでしょうか。

東京オリンピックの開催に対する「インパール2020」や「コロナ敗戦」という言葉もそうですが、一連のコロナ対策と太平洋戦争末期の類比が成り立ってしまう。つまり、都合のいいことしか聞かなくなった為政者のもとに叱られながらも都合の悪いデータを上げる人がいなくなっているんですね。

国民も都合の悪いデータを見たがらなくなっていると思います。客観的なデータよりもコロナ禍で廃業したとか自宅療養中に亡くなったとか、そういう個別の不幸なニュースに反応します。結局は国家、国民が望むところに落としどころが持っていかれていたということでしょうが、それゆえに「敗戦」と言われても仕方がないと思います。

長谷部　負けているかどうかはもう少し見てみないといけないでしょうね。ただ、フランスの哲学者シモーヌ・ヴェイユが『重力と恩寵』の中で、「人間は執着に弱く、執着すると幻想が生まれる。その幻想によって、うまくいくんじゃないかという願望思考を正当化しようとする。人間はそういうものなんだ」というふうに強調しています。加藤さんがご指摘の点も同じメカニズムなんだろうなと感じます。

つまり、執着によって何が正しいことなのかが見えなくなる。そうなれば正しく判断することも、正しく考えることもできない。幻想の中で物事が回っていくことになるわけです。

杉田　自分にとって都合のいい幻想を人々はなかなか手放しません。スロベニアの哲学者スラヴォイ・ジジェクが言っていることですが、たとえば反ユダヤ主義的な議論に対して、実際にユダヤ人はそんなことはやっていないではないかと指摘しても、人々は「わかりました、認識が間違っていました」とは認めず、「じゃあ、我々が苦しいのは誰が悪いというのか、我々が悪いとでもいうのか？」と開き直る、ということが指摘されています。あるいは、ネーションは想像の共同体にすぎないというアメリカの政治学者ベネディクト・アンダーソンらの指摘は正しいとしても、だからといって人々がネーションを捨てられると簡単に考えることはできません。それは人々が手放したくない幻想だからですね。１９９０年代にアカデミックな国民国家批判がありましたが、それは大学の中の話であって、大学の外ではネーションがずっと受け入れられてきたわけです。

今度の東京オリンピックの開会式でジョン・レノンとオノ・ヨーコの楽曲「イマジン」がまた流されました。国境なんかなくてもいいじゃないか、想像してごらんと。しかし想像してみても人々はやはり日本にしがみつきたい。日本が金メダルをとったら嬉しいみたいなかたちでナショナリズムは再生産されます。自分が何もやっていなくても便乗できる共同幻想としてのネーションというのは強力であって、なかなか捨てられないんですね。

「コロナ敗戦」との関係で、あえて言っておくと、それは日本だけなのかという問題があります。イギリスでは21年夏、当時のジョンソン首相は感染が１日５万人ペースの時に規制を大幅に解除しました。これも東京オリンピックと同じような賭けです。当時、とんでもない事態になる可能性があると感染症学者たちは言っていました。けれども彼はエビデンス・ベースで行動を取らず、人々は感染が増えても経済の方を取るだろうと賭けに出たわけです。

菅前首相のコロナ対策、緊急事態宣言の扱いは、まさに「こうあってほしい」という楽観的な見通しにしがみついていました。東京オリンピックも結局、開催までには感染者数が下がるだろう、うまくいけばうまくいくといった情報しか採用しなかったんですね。

説明責任を意識しない政府

加藤　菅さんは当時、自分への支持率やオリンピック開催への賛否、東京大会をキャンセルした時の損害賠償、世界の動向といったデータの類いは見ていたはずです。たとえば報道機関の世論調査は五輪開催の賛否、感染症対策の賛否、それと内閣支持率というセットで発表されていました。それでも、行動経済学のいうプロスペクト理論[*2]そのままに、感染爆発という悪い見通しに目をつぶって開催を選んだわけです。

ただ、開会式の菅さんの顔はかなり暗かった。それが不思議でしたね。「やめるのは一番簡単」とまで言って自分が強行したオリンピックがようやく始まる。そうであれば、権力者として「やった」という気持ちでもっと喜んでいいじゃないですか。安倍さんならニコニコしていたのではないか。ところがあの暗い顔は謎でした。
彼はあの時、何を考えていたのか。あえて想像してみると、自分は本来、オリンピックを最終的に開くか開かないかを決める立場にはなかった。五者協議で小池百合子都知事や組織委員会が決めるはずだった。けれども無観客開催となり、その負債は国が前面に出て処理しなければならない。それで自分が前に出されてしまった。負債は最終的には国民が払うことになる。結局、自分がまた批判されるのか、と……。

長谷部　菅さんはオリンピックを開催する立場なのだから、なぜ開催するのかという説明があってしかるべきでした。オリンピックをやれば人流も増えるし、外国からもたくさん人がやってくる。それは感染拡大、医療の逼迫（ひっぱく）につながり、人命の損失につながるわけです。典型的な二重効果（ダブル・イフェクト）ですね。
二重効果とは、あることをすることが意図していなかった副作用をもたらすこと。たとえば、正当防衛です。自分の命を守るために暴力をふるってくる人間を止めようとする、そして暴力の応酬になる。自分の命を守るのが目的だが、結果として相手に怪我をさせてしまう。場合に

***2　プロスペクト理論**：現在所有している財が一単位増加する場合と一単位減少する場合とでは、減少する場合の方を高く評価する。低い確率であっても、損失が〇になる可能性がある方に賭ける（参照、牧野邦昭『経済学者たちの日米開戦』新潮社、2018年、153頁）。

よっては相手の命を奪ってしまうかもしれない。そうした場合、目的はあくまで自分の生命・身体を守ることでなければならないし、結果においてバランスの取れた相当性のあるものでないといけない。相手を必要以上に傷つけてはいけません。

東京オリンピックも、それをやることで本来意図していなかった大きな副作用が生じる可能性があった。そういう場合には絶対やってはいけないということではなく、なぜやるのかという目的をきちんと説明しなければならないし、副作用が生じるのだから利益の得失のバランスが取れていないといけないわけです。それなのに菅さんは、そもそもなぜ開催するのかという説明もしようとしなかった。

オリンピック開催についての説明はあり得ると思います。たとえば、今開催しないと、今この時点で世界最高の身体能力を発揮できる人たちにパフォーマンスをさせる機会が失われるとか。もちろん、これでみんなが納得するとは限りませんが、それなりの正当化の理由にはなっていると思います。

しかし、そういうことを一切言わない。「挑戦するのが政府の役割だ」とか「安心安全な大会」とか、おまじないを繰り返していました。菅さんはそれまでも自分の政治的な判断を、理由を示すことで説明するということをしてこなかった人だから仕方がないのでしょうが。

杉田　菅さんは説明しないといけないと思いながら説明しないのか、そもそも説明しなければならないということを理解していないのか。私は後者だと思います。多くの世の中の出来事について、理論立ててメリットはこうです、デメリットはこうですと説明する必要があるとわかっていないのでしょう。

ただし、これは菅さん個人のレベルの問題ではない。東京オリンピックも菅さん一人で決めたわけではありません。日本の中枢部がまさに説明責任を意識していないということではないのか。いろいろ説明しようとしても上に潰されたということもあり得ると思いますが、それよりもっと深刻で、そもそも日本の中枢部には二重効果などについて人々に説明して理解を求めなければならないという意識がないのだと思います。明らかに諸外国に比べて、デモクラシーの存立条件としての説明責任の重要性という意識が弱いんですよ。

安倍・菅政治の手法

加藤　日本の場合、説明をしなければならない環境に置かれていないことが深刻ですよね。杉田さんは『権力論』（岩波現代文庫、2015年）の中で、権力の行為責任と説明責任について詳しく書いていますが、権力とは本来、それを果たすことによって正当化されるものでしょう。

しかし、安倍政権の時に人事を握った菅官房長官と杉田和博官房副長官の振る舞いは、説明しないことによって権力を生じさせるというものだったと思います。国民どころか官僚にも説明しない。人事権を使って「お前たちが勝手に補充しろ、忖度しろ」と迫る新たな権力の磁場を作ったんですね。つまり、権力の説明の仕方を変えることで権力のあり方を変えていったわけです。

それは本当にマイナスしか日本に及ぼしていません。けれども、そういう権力の磁場を作ってきたという自負が、特に菅さんにはあるのではないでしょうか。

長谷部　内閣人事局を使って、首相や官房長官が各省庁の幹部職員の任用に干渉する現在の人事のあり方は問題がありすぎるのでやめるべきだと思います。官僚の党派的な中立性を損なって、官僚を個々の政治家の子分にしてしまいかねない。

杉田　人事権を握っている者が好き勝手に人事をできるし、すべきだという発想は、日本学術会議の会員候補の任命拒否の際にも表れました。学術会議の場合は、設置法によって、学術会議自体の推薦に基づいて形式的に首相が任命するだけとされているのに、菅さんは、これは首相による人事だとして、一切説明しなかった。彼の権力観からすると、いわば上司と部下という関係でしかないんですね。

突き詰めて言えば、菅さんの中では国民との関係も上司と部下なのでしょう。本来、日本国憲法が規定する代表民主政の構造からすれば、主権者である国民が、政治家を使って自分たちの意思を政治に反映するだけですが、彼の中では、国民は政治家の命令を聞くべき部下のようなものなのでしょう。だから説明する必要などないと。納得してもらう必要があれば説明しないといけないけれども、世の中はそもそも説明と納得で動いているのではなく、命令と服従で動いていると思っている。安倍さんも間違いなくそういう考え方の人でした。

長谷部　ただ、そこであえて安倍さんと菅さんとの違いを見ていくと、安倍さんは少なくとも一部の人にとってはアイドル、偶像だったわけです。

偶像がなぜ偶像であり得るかというと、本人の問題というよりも、観衆や聴衆が自分たちの思いや願い、悩みといったものを偶像に投影し、偶像を通してそれらを意味づけることができるからです。これはテレビに出て歌ったり踊ったりしてくれるアイドルも同じです。私たちのために歌ったり踊ったりしてくれているんだと、観衆や聴衆が意味づけることができるからアイドルはアイドルです。安倍さんはそういう意味でアイドル、偶像であり得た人でした。

菅さんは違います。何を言っているのかわからないから意味づけができません。そこは相当違いがあると思います。

杉田　安倍さんに自分たちの何かを投影していたのは主に右派です。しばらくいなかったナショナリズムのアイドルということで投影していた部分がある。菅さんの政策はそういう投影させできなかったし、それに代わるファン層も特にいなかったわけです。

加藤　安倍さんは右派の人たちにとって、いわゆる反日の人々だといって日教組などを名指しし、この人々は叩いてよい相手ですよ、と明示してくれる「魅力」があったと思います。菅さんもある種の人たちの願いを叶えるという部分は意識していたはずです。実際、日本学術会議も既得権益を持つ学者たち、いわば、貴族だから叩いていいんだと、手を叩いて喜んだ人たちがいましたから。

アイドルとは本来、自分が汗をかいて人の気持ちを実現するものでしょう。安倍さんは自ら汗をかく人ではなかったので、丸山真男的に言うと「亜アイドル」[*3]だと思います。選挙に強いといっても、野党側の隙をついて、準備もさせないようにして、低投票率の中で勝つに決まっている選挙をやっただけではないでしょうか。その意味でも亜アイドルだし、菅さんは亜アイドルにもなれなかった人なんですね。

菅さんの政策で若い人たちが反応したのは携帯料金の値下げでした。若者の多くはお金がなくてもスマホだけはと思っている。つまり、若い人たちにとって基本的人権はＳＮＳというような状況があるんですね。それが今日の生活において一番大事なものだという考え方は、それはそれでいいと思います。

しかしその考え方は、竹中平蔵さんやデービッド・アトキンソンさんなど新自由主義の人たちを重用する人事に溶解していった。結局、生活に踏みとどまって政策を立てる気がない菅さんは、携帯料金以外の、生活関連の事項に手がつかなかった。

「偶像崇拝」に陥る危うさ

長谷部　エミール・ファッケンハイムというトロント大学で長く哲学を教えた人が指摘していることですが、「偶像を崇拝するな」といろんな宗教が言うのは、偶像を拝むのは自分たちの思いや迷い、願いを投影しているだけなので、結局は自分を拝んでいるだけだからです。自分を拝んだって何にもならない。そんな役に立たないことをするのはやめて、自分の頭を使ってどうしたら自分の願いが叶うか、どうしたら自分の問題が解決するか、自分できちんと考えろというのが偶像崇拝禁止の意味なんですね。

杉田　自分で考えるより神に従えということじゃないんですか。

長谷部　神は偶像崇拝は禁止すると言うだけで、どうすればいいかは何も言ってくれません。自分で考えるしかない。宗教は本来そういうものでしょう。

杉田　自分で直接神と対話するというのは、いわゆる神秘主義の系譜で、これは教団の中で聖

*3　**亜アイドル**：戦後日本の代表的政治学者・丸山真男が「日本ファシズムの思想と運動」（1948年）で用いた「亜インテリ」をもじった表現。丸山は、都市サラリーマンや文化人ら「本来のインテリ」と、小工場主、町工場の親方、小地主、学校教員、村役場などの官吏、僧侶、神官ら「亜インテリ」とを区別し、後者のような存在が日本ファシズムを支えたと主張した。

職者らの指導の下に救済される、という教団宗教からはずっと迫害されているはずです。カトリックのような主流派のキリスト教も基本はそうで、自分の頭で考えるというのはちょっと誤解を招くのでは。

長谷部　カトリックを特定の型に固定しないほうがいいと思います。キリスト教にはいろいろな流派があって、カトリックの中も教皇を頂点とする教会のヒエラルキー（階序）の言う通りにすべきだという考えで一貫していたかというとそうでもありません。公会議の権威が教皇より上だという考え方は教皇位が分裂した中世末期に強く存在していて、それが宗教改革にもつながっていきます。プロテスタントでは何が正しい信仰かは自分で考える。それが近代的な意味での立憲主義にもつながっていくわけです。

ただ、人間はやはり偶像からなかなか抜けられない。先ほど杉田さんは「ネーションは想像の共同体」とおっしゃったが、それに関連して言うと、ドイツはナチ時代、限りない、計り知れないものがフォルク（人民）として立ち現れ、その立ち現れたフォルクをフューラー（総統）が体現している。だからフューラーの言うことは何でも聞かなきゃいけないと、自分でものを考えなくなったわけです。

杉田　ただし、いわゆる人民主権論[*4]も含めて、個人を超えた集団としての人民の存在を前提としていますが……。ドイツ語のフォルクという言葉の、禍々（まがまが）しいまでの含意は別としても。

長谷部　歴史的に見ると、人民主権論は濫用されがちでした。私は人民主権否定論者として悪名が高く、憲法制定権力なるものも否定しています（笑）。ちなみに現代の日本の天皇は偶像ではなく、ただの象徴です。偶像だとフォルクとフューラーのように同一化してしまう。天皇即国家になったらそれこそ戦前の天皇制と同じになってしまいます。象徴はあくまで象徴で、全部を包含するということはあり得ません。宗教上も偶像と象徴は違います。十字架のペンダントはただの象徴なので、それを拝んだりしないですね。

天皇は国民統合の象徴だし日本国の象徴だから、外国の元首は日本国に敬意を表しましょうと天皇のところにやってきて表敬します。もちろん偶像だと思っていないので、外国の元首が天皇に何かを投影するなんてあり得ません。日本国民の多くも投影はしていないでしょう。

そう言えば東京オリンピックの開催前に、宮内庁長官の「拝察」発言が問題になりましたよね。「陛下が新型コロナウイルスの感染状況を心配し、開催が感染拡大につながらないか、ご懸念されていると拝察している」と。

具体的にどういうことがあったのか窺い知れないので軽々なことは申し上げられないが、た

＊4　人民主権論：国家権力は全人民が掌握しているとの説。20世紀初頭のフランスの憲法学で提唱された。ルソーの社会契約論を思想的淵源としているとされるが、ルソーに対する誤解にもとづいていると思われ、また、全人民が国家権力を掌握しているという言明が現実に何を意味しているかも判然としない。

とえば、開会式のあいさつの言葉をどうするのかということについて、天皇自身の考えはあったでしょう。それを天皇による政治的権能の行使だと言って全部抑圧しようというのは、私はやり過ぎだと思う。天皇も人間ですからね。

加藤 天皇はそれこそ千年の物語の「源氏物語」よりずっと前からの歴史のある「家」の家長でした。その歴史性から考えますと、オリンピック開催が感染拡大につながらないかといった懸念は、天皇家の「お家芸」という面で捉えるとわかりやすいと思います。

天皇家というのは、おそらく国民の考えをつかもうとする強い気持ちのある「家」でしょう。たとえば、ポツダム宣言[*5]の第12項「日本国国民の自由に表明せる意思に従い平和的傾向を有し、且責任ある政府が樹立せらるるに於ては」という文言など、親である昭和天皇と子である明仁皇太子（現・上皇）とで、しっかりと読みこんでいると思う。国民が自由に表明する意思というものを知るには、新聞や雑誌というメディアによく目を通されているはずです。もちろん、日本国憲法第3条に定められているように天皇の国事に関する行為には、「内閣の助言と承認」が必要ですが、政府という、ある意味で一方的な考え方の人々の情報に賭けるのは危ないわけですね。

当時、報道機関の世論調査では五輪中止の意見が6割を超えていました。天皇は、その国民の意思と政府の方針のギャップを少しでも埋めるべきだ、と考えたのではないでしょうか。

お家芸はもう一つあって、それは「言葉」の使い方です。それは、たとえば、1946年1月1日のいわゆる「人間宣言」（「新日本建設に関する詔書」）で確認できます。天皇が自らの神格を否定する声明を出すとの最初の発案者はGHQの民間情報教育局ですが、そのヨコのものを、幣原喜重郎首相や石渡荘太郎宮内大臣がタテにし、そこに昭和天皇自身が、冒頭に「五箇条の誓文」を加えるのですね。日本が回帰すべき民主政の原型は、「五箇条の誓文」によって、明治初年、明治天皇・政府によってすでに創出されていたというイメージを喚起してしまう。そのような理性が、天皇の家にはおそらくある。

現天皇は東京オリンピックの開会宣言で、「私は、ここに、第32回近代オリンピアードを記念する、東京大会の開会を宣言します」と宣言しました。開会宣言の文言はオリンピック憲章

＊5 ポツダム宣言：第二次世界大戦最終盤の1945年7月26日、米英ソ首脳がベルリン郊外のポツダムに参集し、戦後処理方針を協議した際、米英中首脳の名で日本に降伏を迫る文書が発出された。当時の米国のトルーマン、英国のチャーチル、ソ連のスターリンは、駐ソ大使・佐藤尚武への日本政府からの電報解読により、天皇の戦争終結への意思を知っていた。ポツダム宣言発出の時点で、アメリカ軍による原爆搭載機への攻撃命令は既に準備されていた（命令撤回も理論的には可能だった）。日本側は天皇制の維持、戦犯自主裁判の2条件をめぐって国論を一致させられず、8月6日の広島、9日の長崎への原爆投下を止められなかった。8月14日、天皇が主導した御前会議の「聖断」によって受諾を決定、降伏が選択された。翌15日、あらかじめ録音された天皇の「玉音放送」によって、国民の多くは敗戦を知ることとなった。

で一言一句、フランス語と英語で決められています。JOCが公表している和訳では、じつは「記念する」の部分が「祝い」なんですね。和訳としては、「記念する」のほうが正確とも言われていますが、天皇はおそらく、この状況では「祝い」という言葉はふさわしくないと、あえて「記念する」に変えて開会宣言をしたのでしょう。

こうした天皇の振る舞いは、おまえはこう生きるんだよ、というエートス（天性と習性）に従って小さい頃から生きてきた人の律し方だと思います。家族の中で語り合っていない旧宮家を復活させても、こうはならないでしょうね。

東京オリンピックへの執着

杉田　幻想ということとの関係で言えば、安倍さんに比べれば菅さんは変な幻想に訴えていないぶん、「安心安全」だったということになるのでしょうか。

長谷部　菅さんは変な幻想を与えてはくれない。ただ、彼自身は幻想の中で生きている人でした。オリンピックへの執着がそうですね。その執着をなんとしても実現したいというだけで何の躊躇（ちゅうちょ）もない。いろんな幻想に取り巻かれていて、彼が何を正しいと考えているかも見えてこず、彼が正しく考えることができているのかも終始わかりませんでしたね。

杉田　つまり、安心安全ではないと……。

加藤　菅さんのほうが安倍さんよりもひどいことはやらないだろうという安心感はあったと思います。安倍さんは自民党の中の3割の支持者を梃子にして国民の多くが望んでいない改憲のような議題に取りかかってしまうかもしれない。菅さんがやるのはせいぜい学術会議の任命拒否、携帯料金の値下げ、官僚のクビを飛ばすくらい。そういう違いはあったでしょうね。

ただ菅さんは、法解釈の変更について、立法府においては説明しなければならない、という常識が欠けていました。そこが彼の怖さでしょうか。安倍さんが「早く質問しろ」などとヤジを飛ばしたのは、おそらく国会で法解釈の質問をされることを恐れる気持ちがあったからでしょう。菅さんにはそれが全くなかったと思います。

たとえば改正国民投票法で、立憲民主党はその付則について、CM規制や外資規制などの課題を3年目途でクリアするまでは改憲の発議ができないという解釈で与党と合意したわけです。菅さんはそういう法解釈を理解していないのではないか。そうであるならば、平気で改憲の発議をしてくるかもしれない。そのような怖さは感じていました。

長谷部　リスクは確かにありましたね。加藤さんご指摘の通り、菅さんは世論の支持率は気にしていました。携帯料金を下げるというのも支持率が上がると思ったからでしょう。ただし、それはあくまでマニピュレーション（操作）の対象で、筋の通った話を通じて有権者を説得しようとは思っていない。そういうものの考え方からして憲法改正が内閣支持率上昇につながると思っていたら、発議に踏み切ったかもしれません。

杉田　東京オリンピックの開会式で菅さんが暗かったのも、いざ蓋をあけてみたら支持率が上がるどころか、下がるという情報が上がってきたからではないか。コロナの感染者が増えるという情報も上がってきていたと思う。大会中に感染者が増えたら一気に支持率がダウンして自分のクビが危うくなりますよね。結局、パラリンピックの閉会式直前の9月3日に総裁選不出馬を表明したわけですが。希望的観測で行動することの危険性を示しています。

改憲論者の〝陰謀〟

長谷部　菅さんは自分が矮小政治家だという自己認識があったと思います。安倍さんはそうじゃなかった。自分は偉大な政治家になれるんじゃないかと思っていた人でしょう。

19世紀のフランスの政治思想家トクヴィルは『アメリカのデモクラシー』の中で政党論を述べています。政治体制の草創期には、公共の利益のことを私的な利益よりもまず先に置いて、天下国家のことを考える偉大な政党、偉大な政治家が現れる。しかしそれは、政治体制の大変革期とか政治体制の草創期の話で、社会が安定期に入ると、もう私的な利益のことしか考えない矮小政治家と矮小政党の時代に入る。その時代に政治家が考えるのはもっぱら陰謀と汚職である、と。

新聞の政治面を見ても、陰謀と汚職のことしか書いてないじゃないですか。それは現代の日本社会が安定期だからです。安定期だから矮小政治家しか現れない。つまり、菅さんが本来の姿で、安倍さんの自己認識が間違っていたわけです。安倍さんは何かの拍子で自分は世界を変革できると思い込んでいたんですね。

杉田　安倍さんはそういう面もあるけれども、祖父の岸信介に対する感情とか、コンプレックスの塊みたいなところがありました。

長谷部　コンプレックスをバネに世界を変革できると思っていたのではないでしょうか。もちろん、人間は一つの要素だけでできているわけではありませんが。

杉田　虚勢を張っていたというのはおっしゃる通りでしょうが、自分は偉大な祖父や優秀な兄弟と比較して軽んじられてきたけれども、何か、自分の能力というか、運というか、大きなことができるという自信があったかもしれない。だからこそ危険だったということもあると思う。自民党の二階俊博元幹事長は菅さんと同じような存在でしょうか。

長谷部　同じですね。二階さんもやはり説明しようとしなかった。おそらく仲間内では自分たちの損得計算の話はしていたでしょうが、表向き言えるような話ではありません。それで人事権を振り回して言うことを聞かせていた。一般国民に理由を示して説得するなんて、そんなことをしても何にもならないと思っていて、内閣支持率さえマニピュレートできればいいと思っていたのでしょうね。
海外のリーダーは説明をしようとするふりくらいはします。それくらいの良識はある。しかし日本の政治家は、菅さんや二階さんに限らず、それをする必要があるというふうに育っていないのです。

杉田　国民のほうも、それほど説明の必要を強く意識していないし、それを期待していないということなのか……。

加藤　小泉純一郎さんの後、安倍さん、福田康夫さん、麻生太郎さん、そして民主党の鳩山由紀夫さん、菅直人（かん）さん、野田佳彦さんと、日本の首相は顔を覚える暇もなく変わってきました。あれがデフォルトならば、菅さんが1年くらいで辞めたのもそんなに驚くことではないのかもしれません。

ただ、菅さんの就任当初、首相の解散権という変な慣行によって、また勝手に選挙をやって長期政権になるのではないかと私は少し心配していました。国民が望んでいない改憲には手をつけないだろうと思っていましたが、先に述べた改正国民投票法に関する懸念のように、法ができることとできないことをわかっていない人がトップだと、やはり怖くて目が離せません。

鼓腹撃壌（こふくげきじょう）（世の中の太平を楽しむこと）、楽しい世界にいられればいいのですが、岸田政権になっても目が離せないのは同じですね。

杉田　改憲について言えば、先ほど少し触れた反ユダヤ主義と、改憲派の反9条主義には似たところがあります。ユダヤ陰謀説を事実によって論破しても反ユダヤ主義者が諦めないように、9条があるから日本は外国にバカにされている、9条があるから防衛ができないなどと言い続ける。9条があっても専守防衛は可能だといくら説明しても、憲法9条という悪いものを除去しない限りダメだと言ってきかない。拉致被害も9条があるからなどと右派は言っていますが、多くの人々が拉致された韓国には9条などないことは無視です。因果関係など無関係に、あらゆる不満を投影する。こういう改憲論者のメンタルには反ユダヤ主義と同じような「イデオロギー的幻想」（ジジェク）があるんですね。

国民は、今は9条改憲を望んでいるという状況では必ずしもないでしょう。しかし何かの拍子に反ユダヤ主義がぱっと出てくるように、反9条主義が根拠もなく盛り上がる可能性はやはりあると思います。

長谷部　そうかもしれませんね、否定はできない。

加藤　ユダヤ人に関して正しい説明をいくら行っても、反ユダヤ主義の側は1ミリも考え方を変えようとはしない。ユダヤが一つのアイコンになるのですね。イデオロギー的幻想という点では、9条に関しても憲法学者が1ミリの隙もないほど説明しているとはいえ、中国、台湾、アメリカのこともあって嫌な予感はぬぐえません。

対応の遅れは9条のせい？

加藤　コロナ禍での対応の遅れを憲法のせいにするような指摘もありましたね。

長谷部　悪いことは何でも9条のせいだと言う人がいる（笑）。いろんな意見があっていいのでしょうが、他方、世界にはしょっちゅう戦争をしている国があって、そういった国のほうがコロナ対応はよりよくできているのか。必ずしもそうではないでしょう。憲法9条をどうするかなんて、余計なことを考えるのはやめて、とにかくコロナに対してどう適切に対処するのがよいのかという、本当の問題をはっきり正しく見て、それに立ち向かうべきだと思います。

杉田　セキュリティの問題というのはいろいろあるわけです。軍事的な問題もあるし、感染症など公衆衛生上の問題、経済的なセキュリティもあります。それぞれ別な問題なんですね。9条が扱っているのは、あくまでも軍事的なセキュリティの問題です。

コロナ対策について、一部の人が「アメリカでは軍事的な研究費を使ってワクチンを開発している。日本はそういう軍事的な研究を学術会議が止めたからワクチンができないんだ」といったことを言っていました。全く関連性のないデマですよね。ワクチンの開発は厚生労働省が管轄する問題であって、厚労省がしっかり研究資金を出せばいいだけの話です。

ワクチンが必要なら、財務省が予算をつけて厚労省の管轄でやればいい。実際、日本もある時期まではそうしていました。ところが、理由はよくわかりませんが、補助金を打ち切ったので、東京大学などでmRNAワクチンの開発が途中でうまくいかなくなったと言われています。

結局、財布は一つであって、国民の税金を原資としている。軍事研究を導入することで、どこからかお金がわいてくるわけではありません。そして、軍事研究ということになると、どうしても秘密保持の観点から研究成果が公開されないとか、科学者の自立性が奪われるということになりがちです。ワクチン開発を始め、重要な研究は民生的な研究の枠内で行えますし、行うべきです。

加藤　本当の問題を見極めて対応するためには、やはり「信頼」が大事ですよね。先ほどカウントすべきデータの話をしました。それを基にここが問題だということを、コロナ対策であれば保健所、それから市町村・都道府県、そして国がきちっと共有して動く。それで信頼が醸成されるわけです。

さらに、自治体の首長さんがここが問題だと国にどんどん言えるかどうかは、その地方の議会が首長さんをどう支えているかで変わってくるでしょう。これも信頼です。議会の信頼を得るためには、その意見を首長さんがきちっと捉えないといけない。議会の意見は住民の意見に近いわけですから、その積み重ねがすごく大事なんですね。

ただし、自治体の議会に関する法律は明治・大正そのままになっている。これは日本の議会制に詳しい大山礼子さんの本『政治を再建する、いくつかの方法』（日本経済新聞出版社、2018年）で指摘されていることです。つまり日本は、本当の問題を見極めるための信頼醸成の機構が、足元からぐらぐらしていると言えそうです。地方の議会に限らず、国会もすぐ閉じちゃうじゃないですか。

長谷部　憲法53条によると、衆参いずれかの議院の総議員の4分の1以上の要求があれば、内閣は臨時国会を召集する義務があります。何カ月も召集を先延ばしすることは許されない。これは学界の一致する大通説です。最近はいくつか訴訟が起こされていて、裁判所も召集は憲法上の義務だと言っています。野党の臨時国会召集要求を拒否することに、何の言い訳も立たないでしょう。

なのになぜ召集しようとしないのか。一つは最高裁の結論がまだ出ていない。もう一つは、裁判所に言われても召集しないとき、野党はもう戦う手段がない。しかしこれでは、法ではなく自分たちの都合が支配する政治になる。結局、民主主義は多数決がものを言うと諦めるのであれば、そういう不埒（ふらち）な与党は選挙で政権の座から追い払うしかない。ただこれも、選挙結果を敗者が受け入れればという条件つきですが。

杉田　菅政権の手法は、理由を説明して納得を得る、ではなくて、黙らせる、でした。「言わざる」という菅さんの姿勢を、国民に対する訓戒に置き換えれば「文句を言うな」ということなんですね。政権の失敗を見るな、政権に文句を言うな、そして政権を批判するメディアに耳を傾けるな。冒頭で述べた菅さんの三猿は、そう言い換えてもいいでしょう。

国によって国民に対する説明責任の認識度は違いますが、日本では前よりも人々の目は鋭くなってきたとはいえ、政権が自分たちに都合のいい運営をしても怒る人がまだまだ少ない。ただし、菅政権の時には、特にコロナの感染拡大が非常に切実であったため、様々な選挙での争点が政府のコロナ対策になりました。感染がどのぐらい進んでいるかによって投票行動が左右されるくらい、人々の関心事だったわけです。しかも当時の調査では、コロナ対策がうまくいっていないという人が8割ぐらいいました。

コロナ対策について、日本での感染が確認された2020年1月以降、立法措置が十分なのかということは、いろいろなかたちで指摘されてきました。それに対して、憲法9条があるからできないとか、憲法に緊急事態条項がないからだとか、関係ない話をして論点をそらす人もいましたが、国民世論は、そんな言説にはあまりだまされなくなってきた。必要な法律は国会が作ればいい、そのための国会をなぜ開けないんだというかたちで、有権者の間でも菅さんへの批判が高まったと思います。そういう意味では、コロナ問題は、政治が私たちの生活を左右するという意識をある程度、定着させるきっかけになったかもしれません。

「ロックダウン」と「公共の福祉」

加藤　コロナ対策では、「ロックダウン」が必要だという議論もありました。長谷部さんは必要なら法律を作ってやればいいという意見だと思います。

長谷部　日本の行動抑制はだいたいのところは要請なので、自らの自由を進んで差し出している状態と言えるでしょう。政府はお願いをしているだけです。それに国民がはいはいと言って、店を閉めたりお酒を出さなかったりしている。ただ、ロックダウンのような強力な措置がコロナ対策として必要やむを得ないんだというのであれば、きちんと国会で法律を作って、その法律の根拠に基づいて人々の行動を制約するべきだというのが私の考えです。

杉田　感染症対策は感染力の強弱に応じて変化するものと言われています。ロックダウンなどの行動制限というのは、中世ヨーロッパでペスト対策として生まれたもので、コロナウイルスのように感染力の強いものにはあまり効かない、というのが一般的な議論だと思います。「水際対策」も、もっと弱い病原体なら可能ですが、ウイルスはどうやっても入ってしまう。ウイルスに対して効果があり得るのは、結局はワクチンのようです。しかし、ワクチンができるまでは「お手上げ」だと言えば、人々は怒るでしょうから、政府や専門家としては何かやったふりをするしかない。それがロックダウンであり、ヨーロッパなどでも本当に効果が出ているのかどうか、意見が分かれています。

それでも日本でも、何らかの行動制限をするしかないとすれば、現在の時点でどういうデータがあるのか、政府はまずしっかりと出して説明する必要があります。たとえば、日本は三密回避というかたちの対策をしてきました。それがもう効果がないというエビデンスがあれば、人流を完全に止めるロックダウンが必要という議論も成り立つ。しかし感染力が強すぎて、人流を止めても感染が止まらないようであれば、また違うかたちで対策をしなければならないでしょう。

そこで、先ほどの長谷部さんの議論ですが、個人の権利に対して、憲法12条や13条、22条、29条などにある「公共の福祉」に基づいて、一定の権利の制限ができるということをおっしゃっていると思います。公共の福祉の概念については、かつては、もっぱら権利と権利の間の衝突を解決する原理であるというのが憲法学の通説でした。ところが最近は公共の福祉概念が長谷部さんらによって再解釈され、社会全体にとってどうしても必要なこと、実現しなければならない利益、のように整理されている。公衆衛生などのためには権利の制限もあり得るという長谷部さんのロックダウン論の背景にはそれがあると思います。

こうした議論は、特にコロナ対策の場合は必要だと思います。ただその一方で、公共の福祉を持ち出せば何でも制限できるというふうにならないか。そういう不安が私のような素人にはあります。公共の福祉の概念について、もう少し説明していただけませんか。

長谷部　私が新しく申し上げている概念というよりは、むしろかつての日本の憲法学における公共の福祉概念が、人権相互の衝突を調整する原理こそ公共の福祉だというきわめて特殊な考え方だったということです。世界の標準的な公共の福祉（パブリック・ウェルフェア）の捉え方からすると、それは社会全体、公共のために役に立つ利益のことを一般的に指すものです。ただ、ご懸念はごもっともでして、憲法上保障されている基本権を公共の福祉を根拠にして制約しようというのであれば、それがどういう利益で、そうした法律を作れば本当に社会全体にとって役立つのか、そこを明確にしなければなりません。

ロックダウン、あるいはそれに近い行動制限はコロナの感染をこれ以上広げないためということですから、目的自体は、必要不可欠な、きわめて重要な公共の福祉でしょう。問題は、その目的を実現するために、どういう手段を取ることが必要にして適切なのかという点です。ここは申し訳ないけれど、私は感染症の専門家ではないので、確定的なことは申し上げられません。ですから感染の拡大を防止するために本当に必要なんだということを、それこそ専門知に基づいて立証できるのであれば、その時には行動の自由を制約することに躊躇するべきではない。もちろん、新しく法律を作らなくてはいけないわけですから、前提になるのは国会での慎重な審議だということになります。

加藤　不幸なことですけれども、日本では近年、災害や人災の影響で国家と国民の関係が変化していると感じます。誰が自分たちを救ってくれるのか、もしくは誰に合図をすれば法律的な手当てをしてくれるのかというところが、以前よりも国民に見えてきたように思います。ただし、ロックダウンの議論で言うと、行動抑制にかかわらず、感染拡大を防いでいる自治体がどんな対策をしていたかといった情報を知らないと判断できませんよね。

普通に生活をしている人には国会中継を見たりする時間がありません。新聞などで報道されますが、それをきちっと時間をかけて読む時間もない。たとえば、新型コロナの情報は国立感染症研究所のホームページに詳しく書いてありますが、それをわざわざ調べる国民はごくわずかでしょう。

一方で、繁華街で国会のパブリックビューイングのようなことをやると、人々が結構見るそうです。これは『国会をみよう　国会パブリックビューイングの試み』（集英社クリエイティブ、2020年）の著者である上西充子(みつこ)さんがしっかりと実践を踏まえて発言されています。つまり、普通の人が「国会は自分たちの利益を守ってくれるし、与野党を含めていろいろな議員さん、専門家がすごく議論しているんだ」ということを学ぶ場はもっと提供できるんですね。

また、国会はもっと科学の専門知を発信したほうがいいと思います。たとえば、国会に科学・技術に関する専門家を擁した常置補佐機関を作って発信していく。政府のアドバイザリーボードが「この情報は信頼に値する」と発信するにしても、首相の菅さんと分科会の尾身茂さんが並んで会見するだけでなく、官房長官の隣にも、エビデンスについて忖度しないで答えられる専門家がいたほうがよかったと思う。そういうかたちが国家と国民の信頼関係につながっていき、ロックダウンなどの議論も進むのではないでしょうか。

陥穽の「緊急事態条項」

加藤 ロシアによるウクライナ侵攻前、憲法改正を叫ぶ人たちは、9条はおいて、ひとまずコロナ禍に乗じ、「緊急事態条項」を問題とすることで改憲につなごうとしていました。

長谷部 憲法上の緊急事態とコロナ対策がどういう関係があるのか、私にはまったくピンときません。フランスにしてもドイツにしても憲法上の緊急事態制度はありますが、そんなものはコロナに関して発動していない。みんな法律レベルで対策を行っています。日本も同じでしょう。今以上に強力な権限の発動が必要であれば、そういう法律を作ればいいだけの話なんですね。

しかし、そういうことはしないで菅政権・与党は国会をさっさと閉じてしまった。野党が開けと言っても開かない。結局、憲法をどこかいじりたいという自分たちの願望が緊急事態条項という「おまじない」のかたちで噴き出している。それだけの話でしょう。

おまじないは偶像の一種なんですね。自分たちの思いや願いが反映されて、それを拝んだところで自分たち自身を拝んでいるのと同じことですから、コロナが解決するわけでもなんでもありません。コロナを解決したいんだったら、どうすればいいのかを自分たちの頭を使って考えなければいけない。憲法改正なんて余計なことを考えている暇はないはずです。

加藤 日本の政治は、自分たちが使える法律の力を全然ちゃんと使ってこなかったということでしょうね。国会を開かないとか、専門家が反対してもＧｏＴｏトラベルをやるとか、ずっとご都合主義でやってきた……。

杉田 諸外国で憲法上の緊急事態を発動せず、法律レベルでやっている理由は何か。憲法上の緊急事態というのは、主として決定機関をめぐって、たとえば緊急事態では国会を開いて法律を審議している余裕がないので、大統領が法律に代わる緊急勅令みたいなものを出せるようにするという、決定権限の集中化というあたりに根幹がある。しかし、現在のコロナ対策などでは、そのように国会を外す必要性は別にないので、法律によって権利制限などをしている。こういう整理の仕方でいいのでしょうか。

長谷部 国によって違うので、単純には言えません。たとえばドイツだと、市民の健康を守るのは各州と連邦とに競合して属する権限ですので、各州と連邦の連携が必要になります。もっとも、国と地方の連携が必要なのは日本も同じですが。いずれにしても、協議した上でそれぞれ法律を作ればいいだけです。

フランス憲法の16条が定める緊急事態制度は、おっしゃるように大統領に権限を集中するというものです。ただ、それを使わなくても大統領と政府は結構いろんなことができます。フランスの第五共和制憲法[*6]には議会の制定する法律で決めるべき事項が限定列挙されていて（34条）、それ以外の事項は政令で決められる。とはいえ、市民の自由にかかわる問題だと法律を作らないと国民は納得しないですね。それに、大統領の与党が議会の多数を占めていれば法律の制定は難しくない。いずれにしろ、少なくとも法律で対処できますから、憲法上の緊急事態制度を発動する必要はないわけです。

杉田　では、フランスなどでは憲法上の緊急事態としてどんなことを想定しているのでしょうか。

長谷部　フランスの第五共和制が当初想定していた憲法上の緊急事態は、アルジェリアの独立問題[*7]です。1961年4月にド・ゴール政権がアルジェリア独立に舵を切り、現地のフランス軍が反乱を起こした時に緊急事態制度が発動されました。その後は一切ありません。

ドイツの場合は、第二次大戦後にまた戦争を始めはしないかと懸念する連合国の意向に沿って連邦国家になって、かなりの権限を州におろしてしまいました。心配だったのはワルシャワ条約機構軍[*8]が攻めてきた時にどうやって対処するのか、ということ。つまり、いざというとき各州に分散している権限を連邦レベルに集めるために緊急事態制度ができたわけです。

要するに、フランスもドイツも内戦を含めた戦争を緊急事態と考えている。他の国もコロナ禍のような疫病の蔓延は想定していないでしょうね。

杉田 むしろ今回のパンデミックをきっかけに、日本に限らず世界各国に関して、憲法上の緊急事態条項の必要性はないということがわかったということでしょうか。

長谷部 世界各国の状況を冷静に観察すればそういう結論が導かれると思います。

地方分権の本質とは

杉田 感染症対策に関して言うと、日本の制度はアメリカの影響で戦後できたということもあ

＊6 **第五共和制**：ド・ゴール主導による憲法改正によって成立したフランスの政体。1958年9月28日に憲法が国民投票で承認され、10月4日審署された。大統領の任期は7年（現在は5年）。立法権の権限が縮小する一方で、首相任免権や議会解散権など大統領に強い権限が与えられた。

＊7 **アルジェリア独立問題**：フランスは1830年、アルジェリアを征服、第二次大戦中から高まった民族自決運動を仏軍は虐殺や拷問で厳しく弾圧した。1954年にアルジェリア民族解放戦線（FLN）が結成され、武装闘争を開始。ド・ゴール仏大統領は62年、アルジェリア独立を承認した。

＊8 **ワルシャワ条約機構**：1955年、NATOに対抗するため、ソ連を中心にポーランド・東ドイツ・チェコスロバキア・ハンガリー・ブルガリア・ルーマニア・アルバニアの東欧の社会主義国が、ワルシャワで締結・結成した軍事機構。東西冷戦の終結により、1991年に解体された。

ってか、わりと分権的に見えます。都道府県知事が権限を持っていて、各自治体の管轄の保健所がいろんなことをやっています。

長谷部　１９９９年の地方自治制度改革のせいもあると思いますが、戦後の日本はもともと地方自治が強い国なんですよ。

杉田　ただ、それが混乱につながっている面もないわけではない。国が様々な問題を都道府県のせいにしたり各自治体のせいにしたりして、責任を回避する根拠にもなっています。日本の感染症関連の制度は、感染症は特定の地域で流行するので、地域の事情をよく知っている自治体が管轄すべきだという考えに基づいていて、パンデミックに適した制度ではないのではないか、という議論もできそうですが……。

加藤　制度設計が明治期の感染症対策段階で止まってしまったのでしょう。コレラや腸チフス等がほぼ根絶されて以降、濃厚接触者の定義や感染者の収容の仕方、データの収集法など、病理学の進歩と地方自治制度の間にギャップがあるかもしれません。

杉田　大阪で事態がひどくなった一つの背景として、保健所は無駄が多いとして、整理したからだ、という指摘があります。そもそも保健所をそこまで関与させる必要があるのかという問題もありますが、現状では保健所が関係する以上、保健所を減らしてはダメですよね。

公衆衛生のような問題についてはむしろナショナルミニマム（国民生活環境最低水準）の考え

方で、勝手に自治体の判断で保健所を減らしたりできないように中央集権のほうがいいという考え方も成り立ちますが。アメリカでも州ごとにマスク規制が違うことが、決して良い効果につながっていないように見えます。

長谷部　連邦制の国とそう簡単には比べられないでしょう。日本の場合、地方に権限を委ねているせいでいろいろなことがうまくいっていないとは、あまり言われていないと思う。大阪の保健所統合についても、時には間違ったこともするだろうという、いわば織り込み済みの話ではないでしょうか。もちろん、人の命を織り込んじゃいけないけれども。

杉田　では、逆に感染症対策に関しての地方分権のメリットは？　地域的なエンデミック（風土病）的なものであれば意味がありそうですが。

長谷部　間違った政策をある地方自治体がしているということになれば、人々はそこから逃げ出すわけですね。実際に逃げ出している人もいるようですが、そういう「足による投票」を通じて、自治体間の競争が活性化して、少なくとも中長期的にはよりよい政治が実現されるはずです。とてもネオリベ的な言い方ですが、一般論としてそんな説明ができると思います。

杉田　今の日本では、特に大阪維新がそうですが、自治体の自立性というものが市場原理と結びつくかたちで、ネオリベ的な政策を実現する突破口として使われている。つまり、地方自治はいまや市場化や国家の責任を放棄することの口実になっている。そういう状況認識が私にはあります。

かつての革新自治体においては違っていました。少なくとも政治学者は、市場よりも国家がはるかに強力だという意識を持っていて、「主要敵」としての国家・政府に対抗するために自治体の自由を使おうと言っていたわけです。しかし、ここまで市場が強力になった現在、そういう発想だけでは無理ではないでしょうか。

強権と責任回避の間

杉田　本章の最初のほうで、権力を使う時にはエビデンスに基づかなければダメだということを述べました。その意味でも権力は謙抑的に使わなければいけないものですが、他方で、権力は単純になくせばよいというものではありません。まさに公衆衛生はそういう領域で、時に強力な権力が必要になるわけです。

政治学は長いこと、政治体制という概念を非常に重視して、体制が異なれば全然違う政治が行われるというふうに言ってきました。そのため、中国の武漢で最初に新型コロナの感染拡大が起きた時、中国は強権的な国家だからロックダウンができるんだと言ったわけです。しかしその後、フランスなどもロックダウンをした。それについても、フランスは体制が変わったわけではなく、一時的だからコロナが終われば元に戻るだろう、やはりフランスは中国とは違う国なので、という言い方は一応、できます。

ただし、疑問は残りますよね。つまり、政治体制が違うのに同じように強権的なことができるのはどういうことなのか。逆に言えば、体制の違いというのはそもそも何なのか。危機になれば同じ行動をとってしまうなら、本質的にはどの体制も同じなのではないか。こうした問いは深刻だと思います。

加藤　フランスと中国は行政において似ているところがあるかもしれませんね。まさにフランスの哲学者ミシェル・フーコーが言った「生－権力」（近代の権力は人々の生に積極的に介入し、管理し、方向づけようとする）として……。

菅政権の権力の使い方で、普通の国民が一番怒ったのは、金融機関に対する飲食店への融資の締め付け要請でしょう。それこそ右派から左派まで、様々な経済的考えを持っている人たちが一斉に批判を始めた。菅さんは西村康稔（やすとし）経済再生大臣（当時）が暴走したなどと逃げましたが、国民はこの強権性には、相当ひやりとしたと思います。

長谷部　お願いベースでいろいろやらなければならない部分が大きいのですから、飲食店への要請は仕方がない話です。金融機関への締め付けの要請についてもそうで、お願いベースでやらなければならないことがどれだけ広範に及ぶのかということに、みなさん改めて気づかれたのではないでしょうか。もちろん、お願いベースでやるのであれば、金融機関を使って腹話術をするのではなくて、政府が直接お願いすべきです。

また、お願いベースで足りないのであれば、きちんと法律を作って、その法律の根拠に基づいて、こういうことはやってはいけませんと命令を出して、それに反したら最後は刑罰を科すなり営業免許を取り上げるなりする。罰金を取られても痛くも痒くもないかもしれませんが、営業免許の取り上げはそれこそ退場命令ですから、そのほうが効くと思います。

法律を作ろうとしないことがそもそもおかしいのですが、やはり責任を取りたくないのでしょう。金融機関を使って何か言ってもらうというのもそうです。「政府が悪いのではない、この人たちが悪いんだ」ということにしたかったのではないか。正々堂々とはしていないですよね。それでみんな頭にきたんじゃないでしょうか。

為政者に欠落する学問体験

杉田　菅政権では、発足してすぐに日本学術会議の推薦会員に対する任命拒否問題がありました。加藤さんも拒否にあったお一人ですが、学術会議を改革すべきだという議論も出ました。しかし、先に根拠なく法律違反のかたちで強行しておいて、それをきっかけに改革を迫るというやり方は、そもそもよくないわけです。
たまたま法律の立てつけ上、学術会議の会員は非常勤の公務員となっています。1日行くと

1日分の手当を国が払う。ただ、どの国でも学術会議のようなアカデミー的な団体には、国費が投入されていますし、会員選考は研究者集団の中で自律的に行っています。別に日本の制度が特殊なわけではないんですね。

それに、もしこういう法律違反のやり方を許してしまうと、たとえば、今は一応各大学が自分たちで選んでいる大学の学長も、今後は国が決める、文部科学大臣が拒否するというかたちで締め付けを行うきっかけになってしまうかもしれません。

やはり政府には筋をきちんと通していただく必要があると思います。もちろん、学術会議の側も必要な改革は常に行っていかなければならないですが。

加藤　任命拒否された6人の学者は、内閣府の側が拒否の根拠や経緯がわかる文書があるかないかも答えないかたちの「存否不応答」による不開示としたことに対して、不服審査請求を出しています。政府の情報公開・個人情報保護審査会で審査中ですので、これから時間がかかるでしょう。ただ、こうした情報公開請求は大事なことですから、どんなに時間がかかっても任命拒否の理由を政府の側に説明させたいと思います。

学術会議の問題とは別に、日本の学術のレベルが落ちたという問題がありますよね。国際的に競り負けているのは、やはり2004年から始まった国立大学の法人化の影響が大きいのではないでしょうか。それがどんな影響を与えたのか、そこを議論しないといけないと思います。

これは国会に設置された「東京電力福島原子力発電所事故調査委員会」を例として、第三者委員会を設けて、行政評価をしっかりとなすべきテーマだと思います。日本の科学技術力の劣化の一大要因として衆目を集める法人化について、検証を行う。この点については、科学技術政策の専門家である小林信一さんが、『科学』（岩波書店）の「科学技術・イノベーション政策のために」という連載の中で議論をされています。科学技術の常設検証機関を国会内に置け、ということです。

簡単に言ってしまうと、この国の為政者の学問体験が足りないということなんですね。1931年に満州事変[*9]が起きて、それが華北分離政策[*10]に拡大していった時の34年頃、イギリスの歴史家であるトインビーは「これは現代のポエニ戦争（紀元前264年から紀元前146年にかけての、ローマ・カルタゴ間の戦争）だ」と言います（Arnold J. Toynbee, "The Next War—Europe or Asia?", *Pacific Affairs*, Vol.7, No.1 (1934.3)）。トインビーは、世界で最も権威ある調査研究機関の一つ王立国際問題研究所の1920年の創立に尽力した人物で、この研究所は国際連盟理事会から満州事変の調査を命じられたリットン[*11]が帰朝報告などを行った場所でした。このトインビーの議論を当時の内大臣牧野伸顕（のぶあき）などは読んでいました。

こういう比喩はローマ史などがちゃんと頭に入っていないと出てきませんし、イギリスの政治家、あるいは日本では宮中の親英米派の中などでは、その比喩で日本が起こした満州事変の衝撃と、それが日米戦争にまで拡大することが不可避だとの見通しが伝わるわけです。つまり、そのような方々には共通して学者、専門家の言葉が大事だという体験がある。体験ゼロの日本の為政者には、いくら専門知が大事だと言ってもやはり説得力がないのかもしれませんね。

＊9 **満州事変**：1931年9月18日夜、関東軍が、中国東北部（満州）の奉天（現・瀋陽）郊外の柳条湖で南満州鉄道の線路の一部を爆破し、それを口実に満州の主要都市を短期間で制圧した軍事作戦。当初は満州の併合を企図していたが、中国が国際連盟に規約第11条（戦争の脅威にあたって、国際平和を擁護するため、事務総長と理事会が対応する、との内容）に従って提訴したことで、民族自決によって満州国が建国されたとの体裁がとられた。世界恐慌下での農民の苦況や財閥や既成政党への民衆の不満を梃子として、軍部は国の外からの一撃によって、国内の二大政党制の打倒をはかった。英米との国際協調を基調とする外交路線を日本が転換させる契機となった。

＊10 **華北分離工作**：傀儡国家「満州国」樹立後の1934年から、関東軍は中国東北部と接する河北省・山東省・山西省・チャハル省・綏遠省の5省を蔣介石率いる国民党支配から切り離し、日本の経済支配下に置こうと画策。日本側の対中交渉態度の強硬さが1937年の日中戦争につながった。

＊11 **リットン調査団**：満州事変を契機とする日中間の紛争について、1931年12月、国際連盟理事会が派遣を決定した調査委員会。団長の英国人・リットンと米仏独伊を代表する軍人・外交官などからなり、いずれも植民地支配経験のある専門家が、32年2月から現地のほか日本と中国で資料収集・事情聴取を行った。32年10月に公表された報告書は、31年9月18日の事件当日の日本の行動を合法的な自衛措置とは認められないとし、いわゆる満州国が民族自決によって建国されたとは言えないとした。だが、中国の対日ボイコットが国民党主導のものと認めたほか、満州地域の財政・警察機構についての国際管理案の提示にあたっては、日本の権益を温存する条件や措置への配慮が周到に書き込まれたものだった。

長谷部　危機の状況で、政治家たちに自分たちの組織内部の論理だけで行動されると本当に困ります。ここはやはり確実な専門知に基づいて、政治のすべての知恵を結集するような政治家の態度が必要ではないでしょうか。

杉田　コロナ対策を見ても、やはり国家的危機に対抗するためには政治の役割は非常に大きいわけです。検査体制、医療体制はどうあるべきか。あるいはもしロックダウンを行うのであれば、生活保障をどうするか。あらゆる政治問題がかかわってきます。つまり、今は多くの方々が政治に関心を持たざるを得ない状況なんですね。ですから政府も国会も、専門知を集めてきちんとした対応をしてもらわなければなりません。

第2章

2割が動かす政治

中国の体制に近づく日本

杉田　一般の人々の中にも政治学者の中にも、「日本は戦後、憲法も変わって政治体制も変わった。だから戦前のようなことは起きない」という議論があります。しかし、そんな単純なものではないでしょう。政治体制を抽象的、形式的に見ると、これこれの体制に変わったと記述することはできても、やはり運用を含めて考えていくと、形式的な区別では書き切れないような連続性というか、慣性力があるのではないか。

要するに、日本はいつまた戦前のようになるかわからない、ということ。前章でも触れたように、現にフランスは一時的にせよ、中国のようになったではないですか。コロナ禍はあと数年で終わると思いますが、もし10年、20年続いたらどうなるのか。

制度としてのリベラルデモクラシーを樹立したからといって、それがただちに持続可能（サステナブル）と言えるのか。

与太話に聞こえるかもしれませんが、ソ連時代、ロシアは共産主義だから独裁なんだとみんな言っていました。しかし、考えてみれば共産主義になる前は皇帝の専制でした。そして共産主義が終わってプーチン政権になっても独裁です。革命によって政治体制は何度も変わっているけれども、独裁は変わらない。これはどういうことなのか。

独裁という絶対的な権力を求めるような政治文化がある、と言ってしまうと非常につまらなくなりますが、その国にはその国の行動パターンというのがあって、それは簡単に変わらない。だから戦前の日本で起きたようなことは、いくら憲法を変えても起こると考えたほうがいいのではないか。

しかし政治学は、制度によって人間は左右されると強く考えてきました。たとえば、選挙制度をいじるだけで日本の有権者の政治行動が劇的に変わって二大政党制になると考えたわけです。けれども実際にはそうなっていない。人々の支持が二大政党に向かわず、どこに行っているかというと「支持なし」層です。どんな政党も支持しない、いわば政党政治を拒否している人が半分くらいいる。こんな社会がほかにありますか。

こうした行動様式、政治意識が何を意味するのか。難しい問題ですが、政党政治が前提としているような、他者との差異や価値の多様性を前提とした競争という意識が根付いていないことの表れではないのか。でも政治学は、相変わらず政党システム論などと言い、小選挙区にすればいつかは必ず二つの大きな政党に収斂（しゅうれん）されると言って済ませています。日本において実際にはそうなっていないことについて、政治学はもう少し真面目に考えなくてはいけない。コロナ禍でいろんな宿痾が見えてくる中で、こんな問題意識を私は強く持つようになりました。

長谷部　フランスは、まだまがりなりにも国民の同意を調達しようとしていて、中国のように恐怖でもって人民を締め付けようという体制と違うと言えば違います。むしろ中国に近づいているのは日本ですよね。特に菅政権は何の説明もしようとしないし、人事権を振り回して言うことを聞かせようとした。これは被治者の同意を調達しようとしない政治で、フランスよりも中国に近いわけです。

またシモーヌ・ヴェイユの言い方を借りますが、人間は放っておくと重力に引かれるように邪悪なことや下劣なことのほうに引かれていく。『ペスト』を書いたフランスの小説家アルベール・カミュも同じようなことを言っています。

たとえば東京オリンピックで、ユダヤ人の虐殺をジョークのネタにしていたと開閉会式の演出担当者が解任される騒ぎがありましたね。あれほど人間として邪悪なこと、下劣なことをジョークのネタにしてはいけないというのはもちろんです。しかしヴェイユやカミュが言っているのは、人間誰でもそうなりがちで、ちょっと気を緩めると、とてつもなく邪悪で下劣なことの加担者になりかねない。だからいつも気をつけていないといけない、だからジョークのネタにしてはいけない。こういう話なんですよ。

「許されない、とんでもないこと」と多くの方がおっしゃいました。けれども、人間というのは気を緩めるとそうなりがちだ、ということをおっしゃる方はほとんどいなかった。日本でインテリと言われる人でも「私もそうなる、だから気をつけよう」という意識はないのではないでしょうか。基本的に性善説で、真っ当に自分でものを考えれば何とかなると思っている。そうではなく、自分の頭でものを考えるというのは気をつけていないとなかなかできないことなんだ、とヴェイユやカミュは言っているわけです。

杉田さんがおっしゃるように、人間はどう行動するかわからない。やはりどんな体制、制度であろうが、いつも気をつけていないといけないいんですね。

「自己内対話」の意味

杉田　気をつけるというのは具体的にどういうことをすればいいのか。気をつけないような人たちは、何かをきっかけに気をつけるようになるのでしょうか。

長谷部　ヴェイユは工場労働者として働いたことがあります。それで労働者の人たちは考える暇がそもそもないことを知っていた。だから、気をつけないような人たちがいるのはしょうがないんだと言っています。

杉田　「頭痛に支配されている」と……。

長谷部　自分の頭で考えていないことを非難はできません。むしろ、考えられるような条件を整えなければならない。しかし最後の最後、自分の頭で考えるかどうかは本人の問題でしょう。

加藤　日本でも、戦前期であれば階級や経済的な階層で存在が強く規定されていました。たとえば、大正期の女性解放運動を担った伊藤野枝でさえ、弱音を吐いています。[*1] あるとき野枝は、紡織会社「東京モスリン」の女工さんが大挙して入りにくる銭湯に行く。しかし、自ら小説や評論を書き、ふだんは知識階層と接している野枝の一挙手一投足は、女工さんたちに、はじかれてしまう。これを思い出しますと、ヴェイユの述べていることはよくわかります。野枝の行動と理論によって救われるはずの人々が野枝を受け入れない、そのような残酷な現実がありました。

長谷部　邪悪になるのは人間にとって、ある意味、自然の傾向なんですよ。重力に引かれるように。

加藤　杉田さんは「自己内対話」という言葉を使って、権力を変えるには権力の語り方を変えることが大事だとおっしゃっていますよね。つまり、権力に関わっているのは誰かを考え抜く。そういう自己内対話は誰にでもできることなのでしょうか。

杉田　私は拙著の中では、ほとんど苦し紛れに丸山真男の言葉を借りて「自己内対話」などと言っているんですよ。本当は、そういうことを通じて人々が自らの行動を変え、全体として政治のあり方が変わっていくというのは、なかなか難しいことだと思っています。

戦略的な発言ということですかね。欺瞞（ぎまん）だと言われることもありますが、欺瞞によって多少ともマシな結果が得られるのなら、思ったことをそのまま言って、悪い結果になるよりはいいのでは。

加藤　私は、一見、元気で明るく見えると思いますが、非常にペシミストです。最悪のことしか考えていない。やはり人間は邪悪だというところから始まるという点には共感します。

史実を正確に描きつつきちんと小説にしたてられた作家に吉村昭がいますが、その作品の一つに『関東大震災』（文春文庫など）があります。その吉村は、この本の執筆動機を、「そうした災害時の人間に対する恐怖感」と書いていました。これを読んで、ああ、私と同じ考え方をする人がいると思いました。人間が怖いのです。戦争を遂行するにしても、たがが外れたような非合理的なところまでいっても止(や)めないのはどうしてなのか。為政者や市井の人々の頭の中にどんな情報が入っていたのかということを、頭の中を覗(のぞ)くようにして細かく再現して書きたい。私ごときがおこがましいですが、吉村昭の感性と似ていると思います。

有権者20％で当選する制度

加藤　国会議員を選ぶのは国政選挙です。選挙は自分の考えを国政に反映するものだから投票に行きましょうと、よく呼びかけていますよね。それで今の政権の政策に満足している人は与

＊1　参照、伊藤野枝「階級的反感」、森まゆみ編『伊藤野枝集』（岩波文庫、2019年）所収。

党に投票する。それに対して、その政策について疑問符を持つ人は野党に投票する。しかし、投票率は高くても60%前後で止まる。つまり、衆院選の小選挙区の一騎打ちで言えば、有権者数の30%くらいの票を固めたほうが過半数になって勝つ。そして小選挙区全体の勝敗だと、有権者数の20%くらいの票で勝ち越し、政権与党になるわけです。これって、考えてみたら恐ろしいことだと思います。

そのような状況の中で、今のままでよい、という人が多く投票に行くわけですから、政権与党が勝ち続けていく。ただ、おそらくその大部分は「見たいものだけを見たい」という人たちだと思います。特に年齢の若い人々にその傾向が強いのではないか。自らは別に貧しいとはいえないし、生活保護に陥るようなこともない。だからこのままの社会でよいと考える。あるいは、むしろ、現実の生活では自らは恵まれた地位にはいない。だからこそ、国政選挙では、自らが投票した人が当選するのが、「正解」ということになって嬉しい。「正解」を選びたいから当選しそうな人に入れる。こういった気持ちもありそうです。

自分も通ってきた道なのでわかりますが、若さゆえの、ある種の全能感もあるでしょう。自分は病気になっても他人に助けてもらおうなどとは思わない。自助で結構、だと。しかし、政権与党を選択している人たちは有権者の20%にしか過ぎません。これでいいんだと自分の選択の背中を押している、実際の支持者の層の薄さに関して、もう少し疑念を持っていただきたい。

自分は現実的に振る舞っている、与党支持者です、「正解」の道を歩いていいます、多数派です――。そう胸を張る前に、自分の後ろには、じつは20％の層しかいない、ということを、きちんと知ってほしいと思います。

杉田さんのご専門ですけれども、政治というものはあっという間に変わる時には変わります。終戦後は典型的でした。今、自分は多数派であり、現実派であり、政策が実現できる側にいると思っている人たちは、かなり早くのうちからその転換に対して準備しておいたほうがいいと、文字通り老婆心ながら言いたいですね。

杉田　小選挙区制を政治学者のほとんどは支持しています。そういう人たちは、「有権者の20％を固めることはそんなに難しいことじゃない。だから政権交代はそれだけ楽になっている」と言うでしょう。しかし、いわゆる政治改革で小選挙区制を導入してから、もう20年以上経っていますが、政権交代は定着せず、ほぼ一貫して自公政権が続いているわけです。

小選挙区制の議論は、第一党に対して二番目以下のグループに属する人たちが、第二党なら勝てるかもしれないから頑張ろうというかたちで集まってきて、そうすると第一党と第二党が対抗して、二大政党になるという話でした。しかし、ここで考えてみましょう。今の日本の第一党はどこでしょう。それは「無党派」という名前の党なんですよ。自民党は、第一党ではなく、第二党です。いわば重しのように半分くらいの無党派層がいて、残った部分を各党が取りでいます。

合っている。現在の野党を見ると、立憲民主党でも10％以下で、なかなかそこを抜け出せない

　こうした状況が何を意味しているのかという問題はなかなか難しくて、誰にもまだよくわかっていません。けれどもはっきり言えることは、日本の今の有権者は政党政治があまり好きではないということなんですね。たまたまいい政党がないからだとか、いろいろ言い方はできます。しかし、政党政治が三度の食事より好きな国というものも結構あり、多くの国で人々はとにかく今ある中から選んで、どこかの政党にコミットしています。どこの国でもろくな政党があるわけではないけれども、この政党だというかたちで応援する。現状に不満がある人たちは、とにかく二番目の政党に投票するわけです。

　ところが日本では無党派になるんですね。ここが非常に大きな特徴であって、ここが変わらない限り、日本の政党政治に本質的な変化はないでしょう。なぜ日本の人々は政党政治から離れるのか。たまたま今いる野党がふがいないからとか人材がいないからとか、そういう説明だけでは割り切れない問題です。

　日本では、宗教的であることが普通とは思われてはいません。多くの日本人は、自分は宗教を持っていないと思っています。葬式を仏式でやったり、初詣や七五三の時に神社で拝んだりしていますが、だからといって、宗教があるとは自覚していない。そのため、はっきり宗教を

自覚している人に対しては、異質な人、変な人という扱いをする。おそらく、そのこととも関係して、日本の人々の振る舞い方の中で、党派性を持つこと、何らかの強いコミットメントを持つこと自体をよくないことと考えるのかもしれません。政治的意見や支持政党を持つのも、異常なことと思っているから、支持政党を持たず無党派になっていくのではないか。そして、神社に行けばとりあえずさい銭を入れて手を合わせるような「習俗」の一種としての自民党「支持」ということもあるのでは。こういうことばかり言っていると、政治学業界を追い出されるかもしれませんが。

日本では高校などでの有権者教育でも、「政治的中立性」がうるさく言われて難しい。たとえば、自民党は経団連と結びついていてお金持ちを優遇しているなどと先生が言ったら、すぐ保護者から教育委員会に電話がいくでしょう。あるいは公明党や共産党がどういう政党か、創価学会やマルクス主義から説明すると偏向していると言われかねない。でも、そういうことに触れないで、各党の違いを説明することができるのか。

諸外国では、学校でどうしているかというと、複数の政党に言及すれば、それで政治的な中立性はクリアされていると見なされる。一つの政党のことだけを言っていたら、それは偏向だけれども、複数の政党であればいいと。そのぐらい緩く政治的中立性というものを考えないと、高校の先生たちは有権者教育なんかできないでしょう。

日本では党派性を持つことは悪いという考えが浸透しているので、有権者教育もできないし、政党政治もできないんですね。人間はみんな党派性があるということをお互いに認めるところから始めないと、政党政治はできないし、政権交代もないと思います。

長谷部　日本の小選挙区比例代表並立制といった選挙制度は一種の道具なんですね。電気洗濯機もちゃんと取扱説明書を読んで、どうすれば洗濯物の汚れがよく落ちるか、きちんと理解をしてから使わないといけないじゃないですか。選挙制度もそうです。この制度はどういうふうに動く制度なのか、わかったうえで使わないといけない。その点、いまだに日本の有権者の方々は、この小選挙区比例代表並立制というものがどういうふうに動く選挙制度なのか、よくわかっておられないところがあると思います。

加藤さんのご説明のとおり、小選挙区制は、有権者全体の中で少数派を固めることで国政を動かすことができるという危険性も持っている制度です。そして、じつは各選挙区で有権者に問われるのは、一番勝てそうな上位2人の候補者のどちらに投票するかなんですね。そのほかの候補者に投票しても票を捨てるようなものですから、それが嫌なのであれば、この候補者に投票したいという真心とは別の、競り合っている上位2人のどちらに投票するかという選択を迫られるわけです。

他方、比例代表制というのは、あなたが真心から投票したいと思っているその政党、あるいは候補者に入れてくださいという制度です。この両方を一つの選挙で同時にやってくださいと言っているのが日本の小選挙区比例代表並立制なんですね。

おそらく有権者の方々は結構混乱しているでしょう。一方では、どちらか勝てそうな上位2人のうちのどっちに入れるか、いわゆる戦略的な投票が要求されている。他方では、あなたの真心どおりに投票してくださいと言われているわけですから。

そういう意味では、この選挙制度は不親切な制度だと思います。どちらかに統一しろというのであれば、比例代表のほうに統一したほうがいいんじゃないでしょうか。一つの選挙区から複数人を選出する、かつての中選挙区制は、結局のところ比例代表の一種で、それなりにうまく回っていた面がないわけでもありません。

今の時点で中選挙区制に戻せと言ったら、また昔に戻るだけなのか、それは不安だというご意見もありましょうし、もう少し小選挙区比例代表並立制で様子を見たほうがいいという考え方もあるでしょう。ただ、杉田さんのご指摘のように、有権者教育がうまくいっていないのであれば、いつまで経っても、使い方がわからないままで電気洗濯機を回しているだけになってしまうかもしれません。ここはやはり、いつかの時点でどちらかの方向に向いていくということを考えないといけないと思いますね。

日本の最大政党「無党派」

長谷部　1990年代の政治改革の中心として、96年の総選挙から小選挙区制が導入されましたが、タイミングも悪かったし、進めようとした改革の方向性も間違っていたと思います。冷戦が終わってグローバル化が進んでいた状況なので、日本程度のサイズの国では、もう大きな政策選択の余地はなくなったんですね。それなのに、二大政党制にして政党本位、政策本位の政治にすると盛んに議論していた。私は当時、まったくのアナクロニズムだし、中選挙区制のままがいいと思っていました。

杉田　政治学者の見通しが甘かったと言わざるを得ない。権力を集中して決定を早めることが必要だと強調されましたが、それなら政治改革を経た現在、たとえばコロナ対策がうまくいっていないのはなぜなんでしょう。経済も一向によくならないのはなぜでしょう。これまで議論してきたように、データに基づいて分析的に考えることが足りないからではないでしょうか。権力を集中して、異論を排除して、むしろ悪い方向に突き進んだら、どうしようもないではないですか。集中させたら必ずいい結果になるというのはあまりに楽観的な考え方です。それよりは、リスクヘッジという点で、権力の分散のほうがまだましです。

長谷部　ただ、今から前の中選挙区制に戻せるかというとよくわかりません。たとえば、自民党が派閥の政治家育成機能を取り戻せるかというと難しいでしょうね。
　せめてできるのは、今の選挙制度のもとでものすごくきつくなっている政党の規律の効果を緩めること。緩める方法の一つは、フランス流の小選挙区2回投票制でしょう。1回目の投票では、過半数を得票した候補者しか当選できない。ふつう上位2名で争うことになる2回目の投票は、選挙区ごとにアライアンス（提携）を組み直さないといけないので、一つの政党の中の規律は弱くなります。フランスは大統領制だから大統領がアライアンスを主導していますが、日本はそうはいかないのでもっとぐずぐずになる。しかし、現在の日本程度のサイズの国力の国だったらそれでいいんじゃないかと思います。

加藤　2021年7月の都議選では、「毎日新聞」が議席数の予想を大きく外しました。ある政治学者の方が、無党派が投票しやすい都民ファーストのような政党がある場合には直前まで投票先がわからないから、告示日くらいの早期に調査してもムダとなることが多い、無党派の人たちのことをどう捉えるかの調査がないとダメだ、というようなことを分析していました。
　私は報道機関の世論調査をムダとは思わないし、むしろ専門家がそれを否定してしまうことのほうが少し怖いと思う。ただ、確かに無党派層をどう見ていくか、本気でやっていかないといけないとは感じますね。

杉田　先ほども申したように、日本の最大政党は無党派です。この点の重要性に政治学者も報道機関も対応できていません。他の国では、ほとんどの人が支持政党を明らかにしています。そういうところと同じように、日本の政党や有権者の行動を論じることはできないはずです。それなのに選挙の専門家たちは従来の政党論、たとえばイタリアの政治学者サルトーリとかフランスの政治学者デュベルジェとかを参照して説明しようとしています。限界があります。

無党派層の投票行動について、もっときちんと把握することに加えて、そもそもなぜ人々が無党派になっているのかという分析のほうが重要だと思います。

その議論は、そもそも政党というものの意味が、日本社会の中では他の国とは違うというところから始めないといけない。学生の頃から私はいろんな先生たちに「日本の政党は政党ではないんじゃないですか」と言ってよく叱られましたが。

長谷部　日本の政党は他の国とは違うというのは、杉田さんのおっしゃる通りです。たとえばイギリスでは、選挙区ごとに教会を中心にしてとか労働組合を中心にしてとか、家族単位でのつながりがあります。それを前提にして全国的に組織が積み上がっているので、それぞれの選挙区ごとの政党組織の自主的な判断力、決定力がイギリスでは強いんですね。日本の自民党みたいに中央の言うことをみんなが聞くなんてあり得ない。日本の政党はそんなふうにはできていない。そういう意味では相当違ったものです。

杉田　政治意識と政党意識は無関係ではありません。政党政治が全然社会の中に浸透していない。そういうところで、政党間の関係としての政党システムを論じることは難しいです。

長谷部　イギリスの保守党と労働党も他の国のキリスト教系の政党と組合系の政党も、あの世があると思っているかどうかで分かれているところがある。限りない、計り知れないものがあると思えば保守党やキリスト教系、この世の問題しかないんだと思えば労働党や組合系になる。日本人は限りない、計り知れないものがあるなんて思っている人は、宗教団体系の人を除けばあまりいませんよね。そこもかなり違います。

杉田　党派性について言えば、日本の新聞なども、党派性がないかのように、特にかつては振る舞っていました。そもそも党派的なものはおかしいという発想が日本社会にあって、それに迎合しているわけです。それも世界の中では特殊でしょう。最近は、新聞の党派性もかなりあらわになってきましたが、党派性はあるに決まっているので、そうなって当然なんですね。

戦前の二大政党制

杉田　ところで、「日本では二大政党は無理ではないか」と言うと、「いや、戦前は政友会と民政党の時代があったのだからできるはずだ」というふうに言う人がいます。加藤さん、その辺りの歴史についてお話しいただけますか。日本の場合、当時はまだ完全に商工業中心の資本主義段階というよりも地主利益みたいなものが大きく、民政党と政友会がそれぞれに基盤を持つかたちで、一種の保守二党的な構造を作っていたと通俗的には言われたりしますが……。

加藤　1925年、治安維持法とともに、いわゆる男子普通選挙法が帝国議会で成立します。その後、国政レベルでの初めての普通選挙が実施された28年の衆院選を機に、立憲政友会と立憲民政党という二大政党が形成され、慣習的な二大政党制が一時的に続きました。その意味で慣習的な二大政党制の始まりを1925年とすることが多いのですが、それが8年間ほど持続しました。その間の帝国議会の議事録は実は非常に便利に検索できます。人名で検索をかければ手軽にネット上で引けます。それを読みますと、当時の議員さんたちは今以上に一生懸命専門性を発揮した質問をしていることがわかる。たとえば労働基準法的な発想を持った法律案も結局は成立しませんが、きちんと議論されています。

ただし当時、首相を選ぶのは、憲法には規定がないものの、天皇の意思決定に助言を与え、後継首班を天皇に奏薦する役割を負っていた「元老」です。政友会は地主の党、民政党は銀行家、あるいは都市の勤労者が支持する党と言われましたが、やはり既成政党であることには変わりはない。そうしますと政権交代が起きる最大の要因は「敵失」になるわけです。たとえば、29年に張作霖爆殺事件[*2]での対応に失敗した政友会の田中義一首相が辞めた時、元老は次の首相に民政党の浜口雄幸を選びました。こういう政権交代は、国民は完全に蚊帳の外ではありますが、田中に比べて汚職の匂いがしない浜口は国民に人気があった。元老の手による政権交代であっても、それなりに国民の溜飲は下がる。

それにしても二大政党制というのは大変難しいものだと思います。かつて小沢一郎さん（現・立憲民主党）は政権交代できるように二大政党を作って、国民にしっかりと選択させることが重要だ、そのためには中選挙区制から小選挙区制にするしかないと言いました。これは難しいのではないかと当時から考えておりましたが、先ほど挙げた有権者の2割の得票で政権与党という数字を見てもその思いを強くします。

基本的には、選挙制度よりも我々が各政党の差をきちっと読めるかどうかが大事なのでしょう。ロックダウンなどもそうですが、国会では、常に「生きているもの」に対する権力行使が法律として扱われているわけです。各政党はかなりきめ細かいかたちで法律論争の準備をしています。それをじっくり眺めながら選挙に臨むという営みを繰り返すことが政権交代にもつな

＊2　張作霖爆殺事件：1928年6月4日、日本の権益である南満州鉄道と中国の京奉線（北京・奉天間を結ぶ）が交差する地点で東三省の支配者であった張作霖が関東軍の謀略により列車ごと爆殺された事件。関東軍幕僚などの急進的中堅層は、張作霖を通じた対満政策実施方針に強い不満を持っていた。事件の2カ月前、首謀者の河本大作が参謀本部第一部長荒木貞夫に宛てた書簡からは、東北軍閥を率いる張作霖に対する、国民革命軍を率いる蔣介石の北伐のさなかを狙って張作霖を暗殺し、東三省に新たな指導者（清朝最後の皇帝溥儀が想定されていた）を立て、日本側による直接支配を想定していた実態が明らかになる。

がっていくと思います。

夫婦別姓問題にどういう議員さんがどういう反応を示しているか、富裕層の税金の問題に関連してトリクルダウンを間違いと認めているかどうか、そして感染症に関してはどうか。家に投げ込まれる政党や候補者のビラなども眺めてよく考えてみる。そうすれば、この人は大丈夫、この人はダメという点数表のようなものができあがってくると思います。

幕末維新期を見ても、アメリカが日本にやって来て日米和親条約[*3]を結んだ1854年から明治維新まで、14年という、比較的長い時間があります。ですからこの党のこの人に入れておけば、次の次くらいで何か変わるかもしれないと、少し気長に構えたほうがいいでしょうね。

長谷部　杉田さんが言ったように、日本の有権者の半分ぐらいは無党派層なので、政権交代が起こるとすると、現在の野党が「風」に乗るしかないだろうと思います。かつての民主党政権はマニフェストにやたらこだわっていましたよね。それで極めて硬直的、悪い言い方をすると子どもっぽい政治運営をしていました。けれども、風を作り出す無党派層の方々は、マニフェストなんか気にしていません。マニフェストの中には、利益団体の雑多な主張をまとめたようなものも多い。そういうものを全く無視して政治はできないのかもしれませんが、それでも「もう子どもっぽいことはしません」と、反省の弁をきちんと述べるべきでしょう。そうしないと、また同じことをやり始めるんじゃないかという懸念が有権者の方々から抜けず、風は吹かないと思います。

また、「自分一人の一票で政治が変わるものか」と諦めて投票しない有権者が多いとやはり風は吹きません。そういうふうにみんなが思い込んで、それこそ選挙に行かなくなったら、もう民主政治はおしまいです。少数の利益集団に政治を壟断(ろうだん)されて、みんなはそのもとでただ暮らしていくしかないということになります。

必ず変わるとは申しませんが、大きな石を9人では持ち上げられないけれども、10人だったら持ち上げられるということがあるように、自分の一票でその候補者が当選することはあるんですね。やはりそこに賭けて投票には行っていただきたいですよね。

東日本大震災とコロナ

杉田　東日本大震災の時、たまたま民主党政権でした。大地震とそれに続く原発事故で、場合によっては日本の国土のかなりの部分が汚染されかねないというまさに大変な危機です。当時

＊3　**日米和親条約**：1853（嘉永6）年に浦賀沖に来航した米国東インド艦隊司令長官ペリーは翌54年、旗艦を含めて8隻（7隻とする資料もあり）の艦隊で江戸湾に来航し、幕府を交渉の席に着かせた。日本にとって初めての近代的条約であったが、日本側が下田・箱館の開港のほか、片務的な最恵国条款を認めた不平等条約であり、明治期における長く続く条約改正交渉の起因となった。

の状況は、危機の大きさゆえにうまくいかなかった面もあったと思いますが、災害と事故の悪い思い出と重ね合わされて、民主党の失敗というかたちで人々に記憶されます。以後、民主党系の政党については、あの時の失敗がずっと言われてきました。一方で、実際には自民党が原発政策をずっとやってきたわけで、津波対策の不足などのほとんどの責任は自民党にあります。しかし自民党の失策は可視化されなかったんですね。

コロナ禍について、政府関係者が「災害だ」というふうに言っていますが、東日本大震災の時の民主党政権のように自民党政権も苦労しています。コロナが非常に強敵だということがあると思うので、その意味では自民党政権にも同情します。ただ人々は、このコロナ禍において、自民党政権が民主党政権と比べて有能だとは言い切れないんじゃないかと感じ始めたと思います。

しかも単にたまたまいろんなミスが起こっているということではありません。先ほどから議論しているように、データに基づかずに希望的観測に基づいている、あるいは人々に対して真摯な説明を行わないといったことは、いわば自民党政権の体質と言えるでしょう。これではやはりまずいのではないかと、政治的無関心だった人々も相当関心を持ち始めているのではないでしょうか。

危機状態になると、やはり政府の力が大きくものを言います。医療体制の整備など、民間だけではどうにもできないことがたくさんある。ワクチンの供給にしても政府にしかできない。

政府がやるしかないという状況では、政府の役割に人々の期待が集まります。期待を裏切った場合には、人々の怒りも大きいはずです。

自民党にとってコロナ禍の中で政権にいることは、ある意味、不運と言えます。しかしそれは2011年の民主党と同じような状況です。

加藤 前章の冒頭で、菅政権を「下駄を履かされた政権」と言いました。もう一つ言えば、市場至上主義を非常に野蛮なかたちで出してきた政権だったと思います。

1997年頃から行政改革で、公務員は非常に無駄だから減らそうと言われてきましたよね。それで目指したのは、いわば公共を市民社会が引き受けるということでした。その結果、何が起こったかというと、ある種、勝手に会社が請け負って中抜きをするというような事態が生じてしまっている。

こうしたことも自民党政権でコロナ対策がうまくいかない要因でしょう。その構えは基本的には現在の岸田政権でも変わりません。だからこそ有権者にはきちっと勉強してほしいと思います。

長谷部 近年、口先でごまかして何とかしようとする政治家が特に目につきます。何か物事をはっきりさせて、明確な答えを出すと、自分は政治的に損をすると思っているのでしょう。組織政党の中でしか政治が回らないという現状を前提にすると、政治家は党内になるべく敵を作りたくありません。それで「あっちで貸しを作ったから、こっちで借りを返してもらおう」といったことを考えがちになっているわけです。

政治家の質を上げるためには、そういう政治の仕組みになっていることをどう変えていくのかという議論が必要だと思います。大きな話としては選挙制度も含めて、政治の制度全体をどういうふうに変えていくのかということ。小さな話としては選挙において自分の一票を投ずる時に、いったいどうすれば政治がよりよい方向に変わっていくのかと考えること。特に若い有権者にはそういうことも意識していただきたいですね。

加藤　22年から高校の科目に「歴史総合」ができました。近現代史に限ってですが、「世界とその中の日本を広く相互的な視野から捉える」科目（「高等学校学習指導要領解説」）です。すると多くの高校生は、日本という国は外からの働きかけで随分と内政が動いた国なのだな、と実感できると思うのですね。

また、コロナで大切な人を亡くされた方がたくさんいるし、医療従事者の方、エッセンシャルワーカーの方も本当に大変だと思います。一方で、この2年ほど家に引きこもっているという方もいるでしょう。こういう、立場によって見えている風景が全く異なる、ある意味でパラレルワールドのような世界が広がっていた。じつはそれこそが本当の危機なのかもしれません。みなさんには、このコロナ禍で自分が何を考えているかということを、どうかごまかさず、上書きしないで記憶にとどめておいていただきたいと思います。
こうしたことが投票行動にも何かよい影響を及ぼすのではないでしょうか。

第3章

戦争と侵略を考える

21世紀の国家による戦争

加藤　ロシアが2022年2月24日、隣国であるウクライナに自国の安全感を増進させるため侵攻しました。明治期における日本の安全保障観である「主権線」「利益線」[*1]論を展開したのは、1890年12月6日の第1回帝国議会で施政方針演説を行った山県有朋首相でした。ロシアはまさにウクライナを利益線と同じように捉えていて、そこを押さえれば自国の安全が確保されるという発想で動いていました。もちろん、アメリカを中心とするNATOとウクライナとの近年の緊密な関係性は前提としてあるでしょう。とはいえ、この21世紀に今回のロシアのような発想と行動を目にすることになるとは。そのような驚きがありました。

プーチン大統領は2月24日、ウクライナへの侵攻直前に国営テレビで行った国民向け演説で、「私たちと隣接する土地に、言っておくが、それは私たちの歴史的領土だ、そこに、私たちに敵対的な『反ロシア』が作られようとしている」（NHKのサイト）と述べています。これは国民を特別軍事作戦と呼ばれる「戦争」に動員するための演説でした。歴史学は、このような戦争のプロパガンダへの批判として、約2400年前に始まった学問です。古代アテナイの歴史家トゥーキュディデース（紀元前460年頃～前395年）の『戦史』上・中・下巻（久保正彰訳、岩波文庫、1966～67年）は、アテナイに対して、スパルタ率いるペロポネソス同盟が戦いを挑んだペロポネソス戦争（紀元前431年〜前404年頃）を描いたものです。戦争の指導者たちの行動について彼ら自身の説明と、彼らの決定における真の理由とを慎重に区別して明らかにしたのが、トゥーキュディデースでした。日本近代史の専門家など国際政治の現状分析にはお呼びでないというのは間違いであって、戦争のプロパガンダに対して、戦争の真の要因を突き止めるのに有効な学問が歴史学だと思っています。

杉田　今回のことで第二次大戦後からの国際社会の秩序形成が全て無駄になった、覆されてしまったなどと言う人が少なくありません。しかし、私はそんなふうに考えるべきではないと思います。

むしろロシアによるウクライナ侵攻では、国際紛争を解決する手段としてロシアが武力行使を行ったことが世界中から非難されています。今のところ、一部の国を除き、世界の多くの国々が、今回の軍事侵攻に反対しています。非常に強権的な政治を国内で行っているような国

＊1　**主権線と利益線**：1890年の第1回帝国議会で山県有朋首相が行った施政方針演説中の言葉。軍事費への議会の協賛を求めるために山県は、国家の独立は主権線の守護と利益線の保護の二つが不可欠だと主張した。日本の本土が主権線ならば、その安全保障に不可欠の領域を利益線と位置づけ、それが朝鮮半島だとした。88年1月に山県執筆の「軍事意見書」にコメントを求められたローレンツ・フォン・シュタインが、主権線と利益線の概念を山県に教えた。シュタインは、伊藤博文に憲法の論理を教え、山県有朋に安全感の論理を教えたことになる。

であっても、そのような行動は認められないと言っており、その意味で、国際社会の秩序は揺らいでいません。1928年のパリ不戦条約、[*2]そして第二次大戦後の国連憲章によって確立した、侵略戦争の否定という大原則の規範性が再確認されています。これはかなり大きなことでしょう。

長谷部　ウクライナのゼレンスキー大統領が2022年3月、イギリスの議会で演説した時に『ハムレット』の台詞「To be, or not to be」を引用しました。日本では「生きるべきか死ぬべきか」と訳されますが、もともとのシェイクスピア戯曲の文脈に即して言うと、運命に抗して戦うべきか、あるいは運命を甘受して屈従すべきかという意味合いです。ゼレンスキーが「To be, or not to be」と言ったのは、我々は戦うぞという決意の表明だと思います。

戦わないことが何を意味するのか。それはロシアの属国になることです。ロシアは名ばかりの選挙で独裁者が居座り、抗議する人を暴力的に抑圧する国です。選挙結果をごまかし、独裁者とその取り巻きが国の大部分の富を独占する。ウクライナはそういう「政治体制」の国になっていいのかという話なんですね。だから戦って、ヨーロッパ型の真っ当な議会制民主主義国家になる決断をした。ゼレンスキーの言葉はそうした意味で理解するべきだと思います。

杉田　ウクライナでは軍事的な対決が続いています。この帰趨（きすう）がどうなるかという問題はありますが、それとは別の問題として、ロシアが今回のような武力侵攻に至った背景を、今後の教訓という意味でしっかりと検証すべきでしょう。

その際、考えなければならないのは、今、長谷部さんが指摘した「政治体制」の問題ですよね。結局、現在のロシアのような非常に強権的、独裁的な政治体制が続くと、こうしたリスクが発生する。しかも、先ほど加藤さんもご指摘のように、20世紀前半にわれわれは類似した経験をしたことでもあります。ロシアに関して言えば、冷戦後、しばらくの間はそれなりに民主的な体制に向かいつつあるように見えた。そうした中で、我々はプーチンの登場、そしてプーチン政権の長期化がもたらしたもの、いわば政治体制の変質に対して警戒が不十分だったということでしょうね。

戦い抜けとか戦うなとか

杉田 ところで、ウクライナを支える側の対応ですが、NATOは武器輸出、武器の供与に相当踏み込んでいますが、他方で、飛行禁止区域の設定は直接交戦になるからできないとしています。ただ、兵隊を出さなくても、武器を渡すだけでなく、機器をオペレーションするコンピ

＊2 **パリ不戦条約**：1928年8月に15カ国が調印し、38年までに63カ国が参加した。1920年に発足した国際連盟には加入しなかったアメリカ・ソ連（34年に連盟加入）も批准している。提唱者であった米仏外相の名前をとってケロッグ・ブリアン協定とも呼ばれる。戦争の放棄がうたわれた一方で、自衛権の行使は認められた。

ユーター技師を派遣するなどしているでしょうから、直接の交戦と、いわゆる協力との境目はかなりグレーだと思う。

長谷部　ウクライナ国内に派遣されれば、攻撃を受けて巻き添えになるかもしれませんが、とはいえ、ポーランドやハンガリーから戦闘機が出撃したりミサイルを撃ったりするのとは、明らかに違います。

杉田　さらに、アメリカを中心とするNATOはウクライナに多くの情報を送っています。また、軍事顧問などの人員を送り込み、実際に作戦を書いているのは彼らかもしれません。それでも参戦していないということになるのか。昔のままの概念で、参戦とは兵隊や戦車を戦場に出すというレベルで考えるべきなのか。やはり現状は、NATOを含めて、戦争に半分くらい参加している状態ということになるのではないか。もちろん、ウクライナは現状では侵略への自衛をしているので、それを支える西側の行動もまた、ロシアの行動と同列には論じられないですが。

長谷部　そこは『紛争の戦略』を書いたアメリカの経済学者トマス・シェリングが言っている暗黙の了解(tacit bargaining)なんですよ。表立って約束をしているわけではないが、両者が「この一線は越えないぞ、越えたらダメだぞ」と了解している線というものがある。38度線が朝鮮戦争[*3]の休戦ラインになったのも、あるいは核を使うと大変なことになるというのも、こうした暗黙の了解だとシェリングは言います。暗黙の了解がなければ、限定戦争は成り立ちません。

そういう了解があるからアメリカを含めNATO諸国がやることとやらないことがあるし、ウクライナも供与された兵器でロシア領内を攻撃することはない。ロシアもそれをわかっているはずです。だからこそ核や、生物・化学兵器の使用、飛行禁止区域の設定の有無などお互いにここに線が引かれているという前提でせめぎ合いをしている。

加藤 いつの時代でもそれはありますね。第二次大戦時、イギリスがいまだ中立国であったアメリカに対し、大西洋上の英国の重要な島々の使用を米国に認める代わりに、米国から古い駆逐艦を供与してもらう関係に立ったことを枢軸国側と言われた日独伊などは問題視していました。中立の概念の再定義、あるいは武器供与の再定義などをめぐって、今後、せめぎ合いがありそうです。

ゼレンスキーの、聞き手を動かす言葉の力を持った周到な演説の数々もそうですが、ウクライナは緒戦の武力戦でも士気の高さを国際社会に見せつけたことで、対ロシア非難決議に加わる国々、経済制裁に加わる国々を増やすことができました。一方で、首都キーウが持ちこたえ

＊3 朝鮮戦争：1950年6月、北朝鮮軍が南北の境界となっていた北緯38度線を越えて韓国側に侵攻して勃発した。米国中心の国連軍が韓国側、中国の人民義勇軍が北朝鮮側でそれぞれ参戦した。53年7月、国連軍を代表する米国と北朝鮮、中国が署名し、休戦協定が成立。法的には戦争状態のまま現在に至っている。

たことで、化学兵器とか限定核使用などの暗澹たる可能性の話が出てきました。今回の戦争は、我々に倫理的な問いも突きつけていると思います。

杉田　論壇では元大阪市長の橋下徹氏が、ウクライナ国民の犠牲を最小限にするためには「戦わないで妥結しろ」というようなことを言いましたよね。同様の意見は、他の論者からも出ています。他方で、山東昭子参院議長（当時）が国会でのゼレンスキーのオンライン演説直後に「貴国の人々が命をかえりみず戦う姿に感動している」などと言った。このように反応は分かれているわけですが、他国の人々に対して戦うなとか戦い抜けとか、そういうことを言うのは、やはり問題があるのではないでしょうか。

長谷部　決めるのはウクライナの人たちです。他の国民がとやかく言うような話ではありません。もちろん、これ以上の犠牲に耐えられずロシアの属国になる、という決断をウクライナの人たちが究極の場面で選択することはあり得るでしょう。

しかし、ことは政治体制の選択の問題です。さっさと降伏してロシアの属国になりなさいと、他国の人間が言うようなことではない。それは、ロシアと同じような権威主義国家になり独裁者が居座り続けて、政権をどうやって次の人に受け継いでいくのか全然見通しが立たないような国になることを意味します。

戦い抜けとか戦うなとか軽々しく言えるのは、戦争を勝ち負けとか物理的な意味での生死の問題だけで考えているからでしょう。しかし、それだけではない。先ほど言ったように国のあり方をかけた「To be, or not to be」なんです。

杉田　ただ、停戦交渉がどうなっていくかわかりませんが、交渉が難航する中で、民間人の犠牲がどんどん増えてしまうとすれば、それもまた悲劇です。長谷部さんがおっしゃるように最後はウクライナ人が決めるべきことです。とはいえ、日本で考える場合、第二次大戦の終戦の決断が遅かったのか早かったのかという問題とどうしても関連づけて考えざるを得ない。

日本は、東京大空襲や沖縄戦などを経て、広島、長崎の原爆があってからようやくポツダム宣言を受諾しました。それは昭和天皇の英断だったという説もある一方で、もう少し前、沖縄戦より前に降伏すべきだったのに、天皇の地位の保障などを求めた結果、決断が遅れた、との意見もある。歴史について、今さら「たら・れば」で言っても仕方がないという議論はあるでしょうが、日本で発言するのであれば、その辺の問題との関係をどう考えるかが問われるのではないでしょうか。たとえばウクライナに対して戦い抜けと言う人は、ウクライナに原爆が落とされても戦い抜くほうがいいということになるのかどうか。

加藤　大変に深い問いとなりますね。太平洋戦争最終盤の話でいえば、開戦直前の総理だった近衛文麿（このえふみまろ）や早期講和派であり首相や海相を歴任していた米内光政（よないみつまさ）などは、原爆が落ちたことである意味、国民に諦めの観念を生じさせたと言っています。『千葉県史』などに登場する地域の政治家などの日記では、沖縄を守れなかった日本はもう敗戦しかないとの諦めが生まれていました。沖縄戦と原爆は、日本人の戦争に関する心象にとても影響していると思います。一方で日本軍の加害という点で際立つのは南京戦です。

日本軍は1937年12月に南京へ進軍する際、長江河口の杭州湾から南京に向けて三方向から向かいます。とにかく首都・南京を陥落させれば戦争は終わる、相手の正規軍が屈服すれば戦争は終わる——そのような日清[*4]・日露戦争[*5]と同様の戦争観、古い感覚で日本軍の部隊に競争させるようにして進軍させる。これが兵士の精神的、倫理的崩壊を招く一因になりました。

中国は日中戦争開戦前の1936年の「国共合作」で、国民党と共産党というこれまで内戦を展開していた二つの政治グループが連携し、ソ連、アメリカ、イギリスなどの外国からの武器援助と将校グループの支援などによって抗日戦を戦う。中立国が武器援助を行う、宣戦布告は双方ともにしない、といった新しい戦争の形態で日中戦争は戦われました。そうであれば、終戦はどうなるのか——その展望を日本の大本営も前線の司令部も想定していませんね。戦争観の対立と混乱がありました。北支那派遣軍の司令官だった寺内寿一などは、宣戦布告をする戦争を行って、首都南京を陥落させて、城下の盟を結ぶという古い戦争観で戦う。しかし、近衛内閣の下の陸軍中央などは、アメリカ中立法[*6]の適用を避けるため宣戦布告は行えない、賠償金も土地割譲も要求できないとなった時、現地傀儡政権の樹立という、政治的方策に逃げようとします。前線と中央の戦争観が対立しているために、「なぜ中国は負けたと言わないんだ？」と、国民も焦れるし兵士も焦れる。その結果、どんどん残虐になっていくんですね。

＊4　日清戦争：1894年の甲午農民戦争によって朝鮮をめぐる日清間の均衡は崩れた。朝鮮を東アジア海域と日本の安全保障上、最重要の地と考えた日本は、対清開戦に踏み切った。95年に戦勝した日本は下関条約によって巨額の賠償金を得たほか、長江沿岸の開市・開港、台湾・澎湖諸島・遼東半島を獲得した。露・独・仏の三国干渉による遼東半島還付という事態は、当時の日本の軍事と外交の力の正直な反映であったが、日本が屈服を受け入れた先例として、1945年8月の終戦を決定する御前会議で天皇がこの事例を援用できるほどには、国民国家的な体験だったといえる。

＊5　日露戦争：日清戦争の結果、東アジア世界は清韓宗属関係を脱し国民国家の関係へと編成された。清が東清鉄道敷設権をロシアに与え露清が接近すると、英国は勢力範囲を排他的に確保する政策へ転じた。朝鮮支配をめぐってロシアと対立していた日本は、中国東北部（満州）の門戸開放を唱えて英米からの支持を獲得し、1904年に対露開戦に踏み切った。05年の講和条約の結果、日本は東清鉄道南支線、旅順・大連の租借権を獲得するが、11年の辛亥革命、17年のロシア革命等の国際情勢の劇的な変化によって日本の大陸権益は不安定化し、やがて満州事変の遠因を形成していく。

＊6　アメリカ中立法：1937年7月に勃発した日中戦争において、日本側も中国側も宣戦布告しなかった要因の一つとなったアメリカの国内法。米国大統領が戦争状態を宣言すると、紛争の当時国は、現金・自国船原則での輸出入しか許されなくなる。米国や米国民が戦争に巻き込まれないための措置であった。日本は中国に比べて資金力・船舶量で勝っていたので中立法の適用を受けての打撃が少ないとも思われたが、英米の金融市場での決済禁止という条項、また米国からの輸入の途絶は物資動員計画上無理であったため、陸軍・海軍・外務3省の合意により、宣戦布告は行われないこととなった。第二次大戦が勃発すると米国は、アメリカ中立法の要請に反して対英武器援助を行うため、41年4月に武器貸与法を成立させている。

要するに日本人は、戦争の形態の変化に気づかないままに戦争へ突き進んだ。たとえば、中国は蔣介石（チアンチエシー）という独裁者のもとで、塹壕に兵士を鎖でつなぎとめているから投降できないんだ、ということが日本ではまことしやかに言われたわけです。一部はそういうこともあったそうですが、いずれにしろ、中国人民の交戦意欲が国をまとめている、各国が援助しているといったことを念頭に置かずに日本は戦争に進んでいったわけです。

いずれにせよ、沖縄戦、原爆、日中戦争が、戦争に対する日本人の心象に影を落としていると思います。だから、「ウクライナは犠牲を避けるために早く降伏すべきだ」との議論が出てきやすいのではないでしょうか。

ホッブズ型とルソー型の国家観

杉田　先ほどもふれたように、ロシアによるウクライナ侵攻に対する国際世論の反応を見ていると、戦後の国際社会の秩序は基本的には変わっておらず、むしろ再確認されているということがわかります。今、特に問題とされているのがロシアによる戦争犯罪と見える行為です。ただ、「戦争犯罪」を問題にする議論を見ていて感じるのは、民間人の殺害などはもちろん絶対に許されないわけですが、議論の仕方を誤ると、「戦争犯罪」ではないとされる戦闘員同士の戦闘行為については、いくらやっても問題ないという誤解が生じないかという点です。今回の戦争を受けて、国連のグテーレス事務総長は「戦争そのものが犯罪だ」と発言しましたが……。

加藤　他国の領土を侵攻して自国の安全を確保できると考えた時点で、ロシアの認識はゆがんでいると思います。ある種のウクライナへの過小評価がその判断に影響したのでしょう。

一方で、2022年2月24日の開戦以降、1カ月ほどでわかったのは、ウクライナが14年にクリミアをロシアに併合されてしまった頃からかなり軍事面での準備をしていたということです。たとえばウクライナは南東部に、フランスが第一次大戦後、第二次大戦に至る中でドイツに対して築いた要塞地帯「マジノ線」のようなものを作っていたことが明らかになりました。

つまり、ロシアの見通しの甘さとウクライナの備え。特にウクライナには体制を選択するほどの戦争が不可避であるという覚悟があったわけです。歴史的経緯を踏まえて、その両方を見なければいけないと思います。

杉田　ウクライナは18歳から60歳までの男性の出国を禁止する、いわゆる国民総動員的な体制をとっています。明らかに軍事力の差が大きく、一方的に攻め込まれている中ではやむを得ない選択でしょうが、そこにひそむ問題も見ておくべきだと思います。「戦争犯罪」にならずに戦争をやる、いわゆる「正しい戦争」の規準と一般にされているのが、戦闘員と非戦闘員の区別です。戦闘員だけで戦争を行うのが正しい戦争のやり方で、非戦闘員を狙って殺してはいけないという「原則」です。ところが、ウクライナのように成年男子は潜在的な戦闘員だというふうに位置づけてしまうと、その原則が揺らいでしまう。ロシアからすれば、ウクライナ人の男性は全員、潜在的な戦闘員なので、攻撃してもいいということになりかねない。ウクライナの一般の人々を危険に晒すことになるわけです。こういう問題について我々はどう考えるべきなのでしょうか。

私たちの政治体制を考えるうえで、社会契約論という政治思想は非常に大切ですが、実は社会契約論の理論家の間でも、この問題については対照的な見解が出ているんですね。

社会契約論は、いわば「個人のセキュリティ」と「国家のセキュリティ」の関係について考察する議論です。17世紀のイギリスの哲学者トマス・ホッブズは、「自分の安全を確保したい。そのために社会を作り、国家を作って権力を統一しないと、誰に殺されるかわからない。自分の命が危ないから社会契約を行う」というふうに論じています。

ところがホッブズは、このように国家権力の統一化の必要性を説いた強面の思想家にもかかわらず、誰かが兵隊にされ戦死しそうになった場合、もし逃げられるなら逃げても法的に非難されることはないと言っているのです。個人のセキュリティのために社会契約をして国家を作るわけだから、自分が殺されることをみすみす受け入れる義務はない、という議論ですね。

一方、18世紀のフランスの思想家ジャン＝ジャック・ルソーは「社会契約をして共同体を作った以上、その共同体が侵略されたら戦う義務がある」と言っています。つまり、個人を超えた共同体のレベルにおいて、もはや自由を享受している私たちは、この自由な社会、この自由な国家を守らなければ、自己のセキュリティも守れないのだから、それを守るために自ら戦って死ぬべきだというわけです。

この代表的な社会契約論の理論家2人の対立も踏まえて、国民総動員的な体制について長谷部さん、加藤さんはどうお考えでしょうか。

長谷部　開戦から程ない状況で考えると、おそらくロシアがホッブズ、ウクライナがルソーと対応しているのでしょう。ロシアでは、若い人たちを中心にどんどん国外に出ていっている。戦場でも、一部の兵士は任務を放棄していると伝えられています。そうすると、ロシアに対応しているのはホッブズの国家観でしょう。

ホッブズの出発点になっているのは自然状態です。万人が万人と戦争状態にある。お互いが殺し合いをしている状態の中で、とにかく自分の命が大事で生き延びたい、そういう個々人の自己保存の欲望を満足させるためには、すべての人の自然権を主権者にあずけて、絶対主義的な国家を作らないといけない。それぞれの人の命を守ることが大事だからこそ、主権者の言うことは何でも聞くというわけです。

逆に言うと、国家の果たすべき役割はミニマムなものに限られることになります。とにかく言うことを聞きなさい、その代わりにあなたの命は守ってあげる——それがいわば唯一の約束になっている。だから国民としては、いざ戦争になり、前線に行って戦うように命令されても、生き延びるためなら逃げても構わないという話になるわけです。

ルソーの社会契約論は違いますね。全国民の一般意志に基づいて国家は運営されている。つまり、全国民の中長期的な利害はどこにあるのか、それを常に見据えた決定がなされるということです。そうである以上は、国自体の安全が脅かされている時には、国家を守るために国民全員で戦いましょうというのが、ルソーの社会契約です。

ウクライナは自信があるのでしょう。我々は真っ当な議会制民主主義国家になる。そういう国家を守りたいのであれば、国民の皆さんも一緒に戦ってくださいと言っているわけですから。まさにルソーの文脈で理解できますよね。

杉田　そのように社会契約論を理解したうえで、では私たちは個人のセキュリティと共同体ないし国家のセキュリティが対立する非常事態においてどうすべきなのでしょうか。つまり、ホッブズ的に考えるのか、ルソー的に考えるのか。論壇でも論争になっているテーマで、とにかく自由な体制を守るためには戦う一択だという議論が、現状では割と大勢を占めていますが、それに対して、いざとなったら逃げる、あるいはすぐ降伏することもありではないかという論者もいます。そこにはセキュリティをめぐる非常に根本的な問題があると思いますね。

加藤　ホッブズ型かルソー型か。それを考えるには、やはり日本の歴史も思い出しておいたほ

ない問題がつきまといます。

国際法の父と言われる、17世紀のオランダの法学者グロティウスが「正戦論」というかたちで、初期キリスト教の教父アウグスティヌスらのそれ以前の議論を引き継ぎながら、「正しい戦争」と「不正な戦争」を整理しました。先にも触れましたが、その中で特に大事なのは「区別の原則」です。つまり、非戦闘員を意図的に攻撃対象としてはならないということ。この考えは現代でも継承されています。

たとえば、アメリカの政治学者マイケル・ウォルツァーが現代において正戦論を展開しています。「開戦法規」、つまりどういう時に戦争をやってもいいかということですが、これについては「自衛」を基本としています。それから正しい戦争のやり方、つまり「交戦法規」ですが、その中心にあるのが、戦闘員と非戦闘員の区別です。つまり、戦争は戦闘員がやる。非戦闘員を狙ってはいけないと。

その上でウォルツァーは、経済制裁の中でも特に極端な形態である経済封鎖、経済的な関係をほぼ断ってしまうことについては、それは非戦闘員を苦しめるだけだと言います。経済封鎖をされても国家は兵隊には食料や燃料を供給するが、それでは非戦闘員には届かなくなる。つまり、非戦闘員のほうが大きく経済封鎖の影響を受けるわけです。だから、経済封鎖のほうがむしろ戦争より悪い、としています。

このことをどう考えるのか。もちろん、現在のロシアに対する措置は、封鎖というところまではいっていません。また、ロシアは天然資源や食料を自給しているので、封鎖されても簡単に危機的状態にはならないでしょう。そういう国には経済制裁の効果がないとも言えますが、日本のような国が経済封鎖を受けた場合は、すぐ非戦闘員が苦しむでしょう。

非戦闘員が戦闘員より先に苦しむような措置は倫理的に問題がある、というのがウォルツァーの指摘です。このあたり、どうお考えでしょうか。

長谷部　私は、ウォルツァーの言っていることは基本的に正しいと思います。ウォルツァーが問題だと言っているのは、経済制裁の中でも極めて熾烈な形態である経済封鎖ですよね。典型は包囲戦で、英語で言うと「siege」に当たります。

ウクライナのマリウポリで行われていたのがそうです。民間人も巻き込んで、プーチンの言い方で言うと、ハエ1匹通さないというやり方です。食料も医薬品も何も届けられない、民間人が外に逃げていくこともできないという状況でした。戦闘員と非戦闘員の区別を全く無視して、全体を飢餓状態に陥れる、倫理的にきわめて問題がある戦い方だった。ウォルツァーは第一次大戦中のドイツに対する経済封鎖も倫理的に問題があったと指摘しています。

他方で、現在のロシアは、人々が国外に自由に出て行ける状態です。広大な国土があって、少なくとも今のところは食料がふんだんにあり、民間人も巻き込んで多くの人々が飢餓状態にあるという状態にはなっていません。現在のロシアに対する経済制裁が倫理的に問題だということはないだろうと思います。

「油に始まり、油に終わった」

加藤　昭和天皇は、さきの戦争について、「油に始まり、油に終わった」と言いましたが、今回の戦争も似ていますよね。資源大国であるロシアに対して、NATOの中でもドイツは独特な資源外交を行ってきました。メルケル元首相の主導もあって脱原発の政策もとってきた。しかしロシアへの経済制裁に関して、資源価格の高騰は抑えておくという国際社会の共通了解がなかったために、エネルギー価格の高騰に苦しみ、その転換を迫られています。

日本も今、景況感は先進国の中で最悪です。中国との競合もあり、このまま日本が欧米と一緒に経済制裁を続けたら一人負けをするだろうと考える人たちもいます。だからとりわけ経済人の願いは、ウクライナの側が早期に停戦に応じて戦争を終結させることなのかもしれません。

長谷部　しかし、ウクライナが屈服したからといって経済制裁をやめられるでしょうか。

杉田　アフガニスタンもタリバン政権になってから経済制裁を受けていますね。一般市民が苦しんでいるという話がNGOなどから聞こえてきます。ロシアに関してはまだそういう声は聞こえてこない。ただ今後、さらに厳しい制裁にもしも移行して、苦しんでいるロシア社会の映像などが出てきた時に続けられるか。そういう倫理的な問題も出てくるでしょう。

長谷部　一般のロシア人が苦しんだとして、制裁を解除できるのか。少なくとも、ロシアの人たちは国外に出ようと思えば出られるわけです。制裁を解除するには、ロシア自身が変わらなければならないのではないか。

杉田　一方でウクライナは、先ほども触れたように成人男性に国内にとどまるように命じています。まさに総動員、総力戦的な発想で、火炎瓶の作り方を教えたり銃を配ったりしています。これは、かなり異例のことと言えるのではないでしょうか。市民の間から自発的にレジスタンスのようなかたちになるのでなく、政府が国民にゲリラ戦を指示するようなことになるとすれば。

長谷部　日本の自衛隊違憲論者は、自衛隊に代わる自衛の手段として「群民蜂起（levée en masse）」を挙げることがあります。これは、ゲリラ戦のすすめでしょう。政治学者の丸山真男も『後衛の位置から』の中で、軍隊を否定し、現代において可能な戦争のあり方は核戦争かゲリラ戦争だと言っています。

杉田　ウクライナのやり方は、いささか慎重さを欠いていないでしょうか。民間人を殺してはいけないというのが戦争のルールですが、民間人が武装していたら、市街戦になった場合、ロシア側に口実を与えてしまう可能性がある。もちろん、デスパレート（死に物狂い）な状況だから、ゲリラ戦を想定するのも仕方ないとは思うのですが。

攻撃目標となる憲法原理

長谷部　戦争は決闘だという古典的な観念があります。グロティウスは『戦争と平和の法』の本論の冒頭部分で「戦争は決闘だ」と書いています。要するに国と国で言い分が食い違うときは武力で決着をつける、つまり勝ったほうが正しいというわけです。

日本国憲法9条に「国権の発動たる戦争と、武力による威嚇又は武力の行使は、国際紛争を解決する手段としては、永久にこれを放棄する」と書いてありますね。国際紛争、つまり国家間の紛争は、どこかの裁判所がどちらが正しいか、裁定を下すわけではありません。そうなると紛争解決の手段として残るのは「決闘」、つまり武力による論争です。

対立する当事者同士がそれぞれ主張を述べ合う。それが宣戦布告で、どちらが正しいかはどちらが勝ったかで、当事者同士が決める。そうなると、第三者が手出しをしてはいけないとなるし、負けた以上は降参して相手の「正しい」言い分を受け入れることになります。この決闘の観点から見ると、日中戦争は違っていたんですね。

日中戦争では、中国はゲリラ戦に持ち込もうとしたわけです。「どう見ても中国は負けているではないか」と言われても、「いやいや、我々はゲリラ戦で戦い続けている」と。ゲリラ戦というのは、戦闘員と非戦闘員の区分を意図的に不明瞭にする戦い方です。一般市民にも膨大な犠牲が出る非常に悲惨な戦争になる。日本としてもやりたくなかったかもしれませんが、引っ込みがつかなくなったということでしょう。

戦争には、「政治体制と政治体制の戦い」という側面があります。結局のところ、攻撃目標になっているのは相手国の憲法原理だと、ルソーは『戦争法原理』という著作の中で言っています。第二次大戦の原爆の話で言えば、アメリカは「日本の憲法原理」を変えないことには、この戦争は終わらないと考えていた。だから、日本の降伏後、憲法に手をつけた。降伏に持ち込むには原爆を使うしかなかった、というのがアメリカ側の理屈です。

杉田　ただ、今後、ウクライナとロシアの戦争において、どちらかの憲法原理にしなければ終わらないということになると、今のロシアの体制、ロシアの憲法原理を変えるか、あるいは、想像したくありませんが、ウクライナが負けてロシアの憲法原理の中に取り込まれてしまうか、どちらかの結果になるまでは、戦争は終えられないということになってしまうという話になるわけですが……。

長谷部　少なくとも冷戦は続くことになりますよね。

杉田　とりあえず戦争が終わっても、火種としての潜在的な戦争、原理的な意味での戦争は続くということでしょうか。

長谷部　国家間の原理的対立は続きます。

杉田　逆に言えば、ロシアによるウクライナ侵攻の以前から戦争は起きていたという話にもなりますよね。もちろん、２０１４年のクリミア併合とか、それ以後の東部地域における小競り合いのこともありますが、それ以前に、異なる政治体制が隣接している地域は、いずれも戦争状態にある、ということなのか。その一方で、原理的には対立していても、とりあえず大規模な軍事行動が起きていなければ平和だという考え方もあるでしょう。

長谷部　またルソーの『戦争法原理』を持ち出すと、冷戦だって戦争状態（état de guerre）ではあるわけですよね、実戦は行っていないけれども。

杉田　戦争と戦争状態は違いますよね。ルソーも区別しているように。

長谷部　戦争状態では政治体制間の対立が継続していて、いつ実戦として火を噴くかわかりません。まさに冷戦がそうです。ロシアの政治体制が根本的に変わらない限りは、そういう状態が今後も起こり得る。その可能性は見ておかないといけないでしょうね。

加藤　今回のロシアのような軍事行動を弁明する人は少ないにせよ、説明を試みる人はいる。日本人の中にはロシアに対して、ある特別な感覚が歴史的に根強くある、とも言えるのではないでしょうか。１９４１年、外務大臣の松岡洋右（ようすけ）が日ソ中立条約[*9]を電撃的に結びました。そのとき松岡が述べたのは、ソ連側の記録によれば「日本の一君万民というのは共産主義国家と同じである。ひと言で言えば日本はアンチウエスタンである」というようなことを言ってスターリンを感動させたといいます。じつは戦時中の日本の経済統制を始めとした政策は、究極的にはソビエトに近いんですね。

そのような日本の近現代史を考えると、日本人の中に、ロシアが今やっていることの合理化ではないけれども、日本とロシアは同じ「反ベルサイユ体制国家」[*10]だったという記憶があるはずです。つまり、英米側が言っている秩序というものの〝欺瞞性〟をあげつらいたい感覚があるのではないでしょうか。

また、日本は中華帝国のはずれ、ロシアはビザンツ帝国（東ローマ帝国）のはずれという位置づけで自己イメージを作り、ヨーロッパとは別の、実のところ普遍的な役割を担うべきなのは自分たちなのだ、といったような「妄想」も生まれやすい。

こういう日本とロシアに共通するある種のアイデンティティを日本人が感じているとしたら、ウクライナのような目に自分たちが遭うとは考えていないという気がします。

戦争とは、戦争状態とは

加藤　長谷部さんが言うように、戦争が憲法原理の違いから起こる争いだとすれば、一つの国を支えている基本的な社会秩序を変更するまで戦争は終わらないことになるでしょう。つまり、ロシアの政治体制を変更するまでこの戦争は終わらないということになる。杉田さんのご意見はどうですか。

杉田　先ほども議論したとおり、広く捉えれば、冷戦も含めて、政治体制が異なる国同士は潜在的な戦争状態にあるとは言えるでしょう。ホッブズ的な考えからは、そもそも国が別々にある以上、世界は潜在的な戦争状態であると言えます。あるいは、歴史観が異なり、対立する歴史観を持っているような地域では、潜在的な戦争状態にある、あるいは戦争はすでに始まっていると言えます。

その一方で、ウクライナでは2月24日にロシアが戦車を動かす前も、東部でいろいろな事件や小競り合いが起きていましたし、それはウクライナでは戦争と呼ばれていた。しかし、世界の多くの人々は戦争とは思っていなかったわけです。また、国境線を挟んで異なる政治体制が

＊9　日ソ中立条約：1941年4月13日、松岡洋右外相がモスクワで電撃的に調印した条約。領土保全や相互不可侵、一方が第三国の軍事行動の対象となった場合の他方の中立などを定める。日本側が北樺太（サハリン）の石油・石炭利権の数カ月以内の解消を約束する半公信書翰をソ連に与えることで調印にこぎつけた。しかし、45年2月のヤルタ会談での英米との密約をふまえて、同年4月5日、ソ連は中立条約の不延長を日本に通告し、8月8日、対日宣戦布告を行った。条約の期限を1年残した中での参戦は、戦後日本の対ソ感情を規定した。

＊10　ベルサイユ体制：1918年11月11日に第一次世界大戦の休戦協定が署名された後、翌年のベルサイユ講和条約によって築かれたヨーロッパの国際秩序。敗戦国ドイツに対して領土割譲、軍備制限、多額の賠償の支払いなどを課した。こうした戦勝国側への不満が、ヒトラー率いるナチスが台頭する一因になった。

接している地域というのは世界中にたくさんある。日本も、公海が間にあるとはいえ、様々な異質な体制と隣接しています。となると、我々はすでに戦時なのでしょうか。

このことをどう考えるか。今、ウクライナで起きている、民間人の多くが犠牲になるような大規模な軍事衝突は、それ以前の状態からは、相当大きな変化です。それは冷戦とは質的に違います。その意味では、すべてを「潜在的な戦争」と位置づけるのは、私はむしろ、いま起きている事態の危険性に対する感度を麻痺させるように思います。

こうしたことから、私は戦車が動いていたり、ミサイルを撃ったりしていない限りは戦争ではないとあえて言いたい。対立してののしり合っている、あるいは憲法体制が対立している。それは冷戦的であり、戦争状態とは表現できるかもしれないけれども、大規模な軍事衝突がないのなら戦争ではない。戦争でなければ、括弧つきの平和と呼ぶこともできる。その程度の平和でも、今のウクライナの事態よりはいいんじゃないでしょうか。

長谷部　実戦が行われている状態とそうではない状態とは違う。それはそうでしょう。繰り返しになりますがルソーは『戦争法原理』の中で、戦争と戦争状態を区別しています。戦争状態というのは実戦がない状態で、複数の国家が厳しく対立している状態。かつ、なぜ厳しく対立しているかというと、憲法原理が異なるからだと。憲法原理が異なる国家同士の深刻な対立は、いつ実戦が起こるかわからない危険な状態だという議論なんですね。

冷戦はそういう状態です。実際に多くの人が死ぬよりも、ましな状態であることは明らかです。とはいえ、関心を持つべき危機は、実戦が遂行されている状態だけではない。深刻な戦争状態が続いている状態も、非常にリスキーで、そこにも関心を注がなくてはいけない。

「殴りかかった人が悪い」

杉田　近年、文化の多様性を強調する多文化主義が、リベラルデモクラシー諸国でそれなりに浸透する中で、「どこかの文化を批判するのは、その民族を殺しているのと同じだ」といった言い方がよくされます。「ジェノサイド」という言葉も拡張的に使われるようになり、ある集団の生命を奪わなくても、その言語や文化を奪った場合にも、民族集団を絶滅させる「ジェノサイド」などと言われる。これを東ヨーロッパ地域に適用すると、ウクライナにはロシア語話者が多いのにウクライナ語のみを公用語としたウクライナ政府は、「ジェノサイド」を仕掛けた、というプーチンらの主張を正当化することにもなりかねない。

しかし、実際に多くの人々の生命が奪われているような場合と異なり、こういうことを理由に戦車を動かすのは、正当化できないということを、この際、はっきりさせるべきではないでしょうか。西側がロシアに対して厳しいことを言い過ぎたといった議論もありますが、悪口を言われたからといって、殴りかかっていいのか。「それは悪いことだ」と言い続けないといけないと思う。

「どんな悪口を言われても殴ってはいけないのか。それはいじめを肯定することにならないか」などと反論する人もいるかもしれませんが、それでも「殴りかかった人が悪い」という一点は譲れない。その辺が崩れかけていますよね。

長谷部　18世紀のドイツの哲学者イマヌエル・カントは、何が正しいかは人によって考え方が違うのだから、それぞれが各自の正義を実行し始めたらホッブズ的な自然状態、つまり万人の万人に対する戦争になる。だから共通の法秩序を作って、それを遵守し、破壊しないよう求めました。

加藤　法秩序の破壊を黙って見ていたことが「不作為」だと東京裁判で罰せられたのが首相・外相経験者の広田弘毅でしたね。外務大臣として、南京事件の報告を現地から得ていたにもかかわらず、閣議の席などで陸軍大臣に責任を問うていなかった。法秩序の破壊を止めるためにどんな行動を取ったか——命に関わる極限の場面では、その認識と行動を問われることもあるんですね。

ロシアに戦争を終わらせる気にさせるのは、ロシア国民が食糧に困窮するところまで行かないと無理なのではないか。太平洋戦争の最終盤で日本の政府中枢が敗戦を受け入れたのは、塩と穀物の供給途絶による飢餓の発生が予測されたからです。やはり開戦の責任をプーチンに負わせる形で、ロシア国民とプーチン以外の指導者を結びつけるように促してゆく。もちろん、太平洋戦争末期の日本における原爆投下といった決着はダメですが、経済制裁のほか、プーチンを支えるオリガルヒ（新興財閥）の側を押さえていくなど、何か方法はあるはずです。

正義の論争

加藤　「NATOに加盟していないからウクライナは攻められたんだ」といったところから、「日本も他国との同盟関係をもっと強化すべきだ」といった議論が聞かれます。私はそのような議論ではなく、不正な戦争をどう捉えればいいのか、やはり歴史とつなげて考えたいんですね。

他人事に関しては詳しく説明できるのが日本人の気質の一つと思いますが、そのせいでしょうか、ロシア側が侵略戦争を仕掛けた犯罪性について、日本人はあまり自覚的ではないように見えるんですね。実は日本には、国際紛争の解決の手段として相手国があまりにも言うことを聞かない場合は殴ってもいい、決闘で決着してよい、といった気風に何か暗黙の了解があるのではないでしょうか。

長谷部　ウクライナにもロシアにもそれなりの正義があって、両方に言い分があるという議論が聞かれることがあります。しかし、お互いの言い分が対立するから武力によって決着をつけましょうとなると決闘になる。決闘では勝ったほうが正しいことになります。

国際紛争の解決手段として、戦争をしたり武力を行使したりする——これはまさに決闘として戦争をする、あるいは武力の行使をすることです。決闘としての戦争を放棄するという思想は、1928年のパリ不戦条約ではじめて定式化されましたが、日本国憲法の9条も同じで、決闘としての戦争を放棄している。加藤さんが指摘されたような風潮、いざとなったら決闘もありだという考え方が、日本社会に潜在的にある可能性はあると思います。

ただ、私は日本の現状を説明する別の考え方があると思っています。一つの議論は先ほども名前が出てきたマイケル・ウォルツァーが指摘しているものです。戦争はとにかく始まってしまえば一連の地獄だと。規律するルールが何もない悲惨きわまりない地獄だから、どんな手段を使ってでも早く終わらせることが肝心だ、という考え方です。

始まってしまった以上、所詮は地獄なんだからどうしようもない、という諦めに似た考え方が日本の中にあるのかもしれません。これは第二次大戦での日本の戦災経験との関係もあるでしょう。ただし、先ほどの杉田さんの正戦論のご指摘と関連しますが、戦争を遂行するにはルールがあるわけで、それに違背すると戦争犯罪になります。そういう観念がまだ多くの日本人には伝わっていないんじゃないのか。そこが少し心配なところではあります。

杉田　今、長谷部さんが強調されたように、戦争のルールを決めることで、本当の地獄をいくらか弱める効果はあるでしょう。

実際に、ロシアはウクライナを侵略しているとは言わない。戦争をしているのではなく、「特別軍事作戦」と言っています。それから民間人が死んでも「狙っていない」「実は民間人じゃなかった」などと言っています。つまり、ロシアといえども、いわゆる正戦論を真っ向から否定してはいない。戦争のルールに従っている、あるいは少なくともルールを否定しないふりをしなければならないと思っている。これは、ルールがない場合と比べると、行動が制約されるわけで、よりひどい事態になることを抑えている面があります。

ただその一方で、先ほど指摘したことですが、「戦争犯罪はよくない」という言い方は、「戦争犯罪でなければ戦争をしていいのか」という誤解を生みます。つまり、「正しいやり方で戦争をやればいいのか」という発想も出てきてしまうわけです。もちろん、既に侵攻されているウクライナのような立場になれば、自衛のための反撃以外の選択はほとんど残されていない。

問題はそこに至る前の段階です。つまり、一触即発のような段階になった時に、軍事力による対応をどこまでオプションとして考えるか、あるいはもっと外交や交渉で頑張るか、という選択の局面です。私はウォルツァーのような正戦論は、軍事力の行使というオプションを早めに考えることを可能にする副作用がある、と思っています。戦争という選択肢に理論的な「権利保障」を与える、このことの持つ危険性です。戦争は始まってしまえば「地獄」であり、コントロールできないので、極力避けなければならないという発想と比べると、こうやれば戦争は「正しく」できますという話は、戦争をやりやすくする効果がある。つまり、正戦論というものが持つ両義性です。ここは長谷部さんと私は少し立場が違うかもしれないですが。

長谷部　今の杉田さんのお話は、戦争遂行中に「何ができて、何ができないか」、jus in bello と呼ばれるそういうルールを強調しすぎると、そもそも戦争を開始すること自体に関する正邪の判断から関心がそれてしまうのではないか、というご指摘ですね。

危機における国際社会の感度

加藤　お二人のお話を聞いていて思いましたのは、危険な状態を国際社会が感じる「感性」についてなんですね。たとえば、レッドラインを踏んだのは西側諸国のほうではないかという議論があります。1990年に東西ドイツを統一する際、当時のアメリカのベーカー国務長官がソ連のゴルバチョフ書記長に「NATO軍の管轄は1インチも東に拡大しない」と発言するなど、NATO不拡大の言質を西側がロシアに与えていたとの指摘です。これがどのくらいロシアに深く刻まれているのか、プーチンの言い分を正当化するつもりはないけれども、結構、機微にわたる問題でしょう。

似たような話は日本の歴史の中にもありますね。満州事変を起こしたあと、首席全権として国際連盟に派遣された松岡洋右に対して現地の人たちが言ったのは、「このような問題で、なぜ日本はせっかく第一次大戦で得た五大国（イギリス、フランス、イタリア、日本、ドイツ）の地位を擲つのか」ということでした。ところが日本は、中国側の満鉄並行線[*11]（満州鉄道の近くの新設鉄道）こそ条約に違反しているだのと言って、中国は条約を守らない国だと断じ、国内世論を煽って、国際連盟を脱退します。

国際社会は、満州事変から上海事変[*12]へ、そして熱河作戦[*13]というように戦火が中国の長城以南に拡大してから、「ああ、あの時の日本の言い分は非常に欺瞞的ではあったのだが、真剣な要求であったのだな。五大国の地位を擲っても、当時の真の戦争目的であった、将来の対米戦・対ソ戦の兵站基地化を国内が経済的な危機にある時に実現してしまおうとした覚悟があったのだな」と知るわけです。欧米諸国の側に、常任理事国であった日本への油断があったのかもしれません。

同様に考えると、90年に「ＮＡＴＯ軍の管轄は１インチも東に拡大しない」という発言を踏

＊11　**満鉄並行線問題**：日露戦争に辛勝した日本は、１９０５年9月に日露講和条約を締結し、同年12月にはロシアの権益を継承するための日清条約を締結した。日本側が附属取極だと位置づけた条項の中に、南満州鉄道の並行線にあたる鉄道を清国側は敷設しないという並行線禁止条項があったとするが、リットン報告書中の専門家の調査によれば、この取極は日清談判中の議事録に記載されていた発言であったことが明らかにされ、日本側の主張の客観性が問題となった。満州事変前後において日本陸軍は、中国側が条約を守らないことの好事例として本問題をさかんに利用していた。

まえて、それ以降にNATOが東方拡大する中で、ロシアの危険な状態に対するアラームを誰も鳴らすことができなかったのか。この点、長谷部さんはどう思いますか。

長谷部　ベーカー国務長官がゴルバチョフにそんな約束を本当にしたかについては、国際政治学者のメアリー・サロッティの否定論もあり（Mary Sarotte, *Not One Inch* (Yale University Press 2021)）、議論があります。ただ、NATOが東に拡大してロシアは困っているかもしれませんが、問題はむしろなぜ困るのかということでしょう。ロシアがヨーロッパのような議会制民主主義国家であれば、全然困らないはずですよね。でも、現実はそうではない。

ロシアは選挙をやっているようには見えるけれども、結果は最初から決まっています。それに対して抗議をする人たちがいれば、暴力的に治安警察が抑圧します。警察当局も、権力者が変わらないことがわかっているから、安心して暴力的に抑圧できる。それで実際に権力の座にいる人たちが何をやるかというと、独裁者とその取り巻きが国の富の大部分を独占している。

今のロシアはそういう国家で、ヨーロッパとは異なる。だから、NATOが東に拡大するのを拒む。それこそいろいろな正義があるという話になるかもしれませんが、ロシアに今の在り方をやめさせるにはどうするか。それが一つの考え方だろうと思いますね。

加藤　張作霖や張学良（がくりょう）が設置した満鉄並行線の話に戻しますと、日本も中国も東三省の経済をともに振興させて、ともに利益を上げればよい、といった経済的な打開策もないわけではない。

そう考えますと、NATOが東側に1インチでも出てきても困らないような国になるようロシアを促す、という長谷部さんのご指摘のような解決の方向はあり得ますよね。一方で、もう少し西側、特にアメリカが明確にコミットしていたら2月24日の侵攻を回避できたのではないかという意見もあります。

＊12 **上海事変**：1932年1月、日本陸軍は、英米の権益が集中する上海で謀略事件を起こし、中国政府による対満政策転換へ圧力をかけた。3月の満州国建国から世界の目をそらすためとの説明がなされることもある。蔣介石は上海防衛の任にあった19路軍を、直轄の最強師団と番号を変えずに入れ替えて徹底抗戦を行った結果、日本側の思惑は崩れ、戦闘は5月5日の停戦協定まで長引いた。満州事変を国際連盟規約第11条で提訴した中国は、上海事変については第15条で提訴し直したことで、日中紛争は新段階に入った。11条による理事会での解決を模索していた英国の思惑は崩れ、15条による19カ国からなる委員会と総会に解決策は委ねられ、33年2月、総会は日本の主張を認めない勧告案を採択（42対1）し、除名を避けるため日本は常任理事国の地位を擲って連盟脱退の道を選ぶこととなった。

＊13 **熱河作戦**：1932年9月、日本は傀儡国家「満州国」との間で日満議定書を調印し、共同防衛のためと称して、日本軍を満州国内に駐屯させる決定を行っていた。当時の陸軍は、満州国と長城以南の間に位置する熱河省は満州国の一部なので同地域における中国軍隊との戦闘は、「新しい戦争」ではなく警察行為だと強弁した。だが、国際連盟や世界の世論は、満州事変・上海事変への対応を連盟が協議しているさなかでの日本軍の侵攻は、新しい戦争だと認めるものであった。1933年2月、斎藤実首相と天皇は、新しい戦争を起こした側に規約第16条を用いてなされる経済制裁を恐れ、裁可済みの熱河作戦命令の撤回を図るも、天皇の奉勅命令に出先軍が従わない先例を恐れる宮中側近が中止命令発出に同意しなかったことで、内閣は連盟脱退の道を選択した。

その二つの考え方とも、実は冷戦が終わりそうな時の、1990年の緊迫感みたいなものを西側が見逃さずにいたのか、という問題とも結びついていると思います。私の中には、1990年以降の国際社会がロシアに対して、もっと議会制民主主義国家へ促す動きをしていたら、という追悔(ついかい)があるんですね。異質な世界認識を採る側に追いやらないように。

杉田　2月24日の直前、何人かの東欧専門家の友人に意見を聞きましたが、誰も本当の戦争にはならないと言っていました。そのぐらい非合理な行動をプーチンは取ったわけです。それに対して、こういう手を打てばよかったと合理的に言うのはなかなか難しい。

ロシアの専門家の方々は、ロシアの傷ついたアイデンティティを指摘していますよね。つまり、冷戦後にソ連が崩壊して小国化していく一方で、肥大した自己意識みたいなものがロシアにはある。それがプーチンを支えていることを理解すべきだと。

しかし、今まで大物扱いされていた人が引退して、周囲からあまり相手にされなくなったので大暴れしたとして、そんな心理に寄り添う必要があるんでしょうか。暴れる人が現にいるのだからその心理を理解して何とか収めよう、とロシアの専門家の方々はおっしゃっている。周りがそこまでする義理があるでしょうか。ロシアも世界の中に生きているわけです。今回の国際社会の反応から、ロシアの中枢部が、自分たちの行動がいかに時代錯誤か理解することを期待したいですね。

第4章
国家の歴史観と憲法

歴史観をめぐる争い

杉田　長谷部さんが指摘する、戦争は「憲法原理の違い」をめぐる争いであるという点に加えて、戦争は歴史観をめぐる争いとも言えそうです。プーチンは、ウクライナなんて国は存在しない、歴史的に見てロシアの一部であるということを、戦争の背景説明として語っています。

加藤さんは我々が歴史を踏まえて考えるべきこと、そして歴史家は何よりも戦争の分析から出発していることを強調されています。一方で、今のロシアの御用歴史家のように、歴史家が特定の歴史観を構築することによって、戦争の原因を作り出す側面もあります。もちろん、政治権力によって、そうするように強制されているわけですが。ここをどう考えるべきか。

さらに言うと、歴史観にはいろいろありますよね。日本も戦前はファシズムだったという歴史観もあるし、そうではないという歴史観もあります。ウクライナはロシアの一部だという歴史観もあり、ウクライナは昔から独立しているという歴史観もある。この点、ある歴史観はより正しく、他の歴史観はダメということが、歴史学の立場から確定できるのか。つまり、我々はプーチンを支えている歴史観そのものを否定すべきなのか。

もちろん、侵略戦争がいけないとは、世界のほとんどの人が認めています。侵略を正当化するために、歴史を利用するのは、もちろんダメなことです。けれども、プーチンが「ユーラシア主義」[*1]と言っているような歴史観そのものをなくすか、あるいは弱めていかないと世界は平和にならないのか。それとも歴史観というものはそれぞれいろいろあって、各国で異なるのはやむを得ないし、今後も歴史観をめぐる争い自体はやむを得ないのか。こうした歴史観の問題について、お聞かせください。

加藤　ロシアによるウクライナ侵攻が始まって以来、国際政治学者や軍事専門家、ウクライナとロシアの専門家など、良質な第一線の方々がテレビや新聞などに登場して、我々にいろいろな知識や知見を与えてくれています。

そのような中で、今まさに起こっている戦争に対して、私のような歴史家が何を言えるのか。たとえば、ロシアが説明するユーラシア主義については、「眉に唾をつけながら、まずは聞こうよ」ということなんですね。歴史を見れば、「真の戦争目的」と「外部に喧伝している戦争目的」には、常に〝ずれ〟があることがよくわかります。2400年前にギリシャのアテナイとスパルタとの間で戦われた「ペロポネソス戦争」の時から、為政者の本音と国民に向かって話す言葉は異なっていました。つまり、戦争への動員の言葉が出てきたら、「ちょっと覚悟し

＊1　ユーラシア主義：欧州とアジアにまたがる巨大国家ロシアは、歴史的、地政学的に独自の遺産と権益を持ち、欧州やアジアの国々とは違う発展の道と使命がある——というロシア中心主義の思想。

て、嘘を聞き分けよう」と意識することです。

要するに、ユーラシア主義といったある種の歴史観を否定するのではなく、理解したうえで総合的に見ることが大事です。つまり、ロシア人が持つ歴史観の一番の基盤は何かと考えるわけです。

ロシアはアジアだ、と言ったのは『戦争と平和』を書いたトルストイだったと思います。10世紀にビザンツ帝国から正教を受容したロシアは、13~15世紀には、約240年間にわたってモンゴルの支配下に置かれるわけですね。ユーラシア大陸の東と西をつなぐ運命を背負った国だとの自己認識がある。

日本にも似たような感覚があります。地政学的に、中国大陸の東、そして太平洋の西ですね。ですから日本が一番恐れているのは、中国とアメリカが日本の頭越しに手を結ぶことでした。クリントン政権期、オバマ政権期にそれが実際に起こりそうになって、日本は右派も左派も、相当気をもんでいました。その国が背負っている地政学的にずっと変わらない感覚を、国民も歴史意識として持っているんですね。

今、ロシアが発している言葉、それを聞く際のマインドセットを歴史学は提供できると思います。たとえば、ロシアは2022年2月にウクライナ東部の二つの州、ドネツクとルハンスクの独立を承認し、9月に中南部のザポリージャ州と南部のヘルソン州も承認、4州の併合を宣言しました。戦前に日本が「鮮満一如」と言って朝鮮、満州でしたことと似ていますよね。
日本が1931年の満州事変から37年の日中戦争までの6年間でやり続けたこと、その後にたどった道を振り返ってみる。それはロシアの行く末を予想するうえできっと役立つはずです。こういうことが歴史の効用としてあると思います。

杉田 なぜ今回のような紛争が起きるのか。その背景を理解するためには、やはり歴史を見なければいけないし、地理的な諸条件も考えないといけない。確かに大事だと思います。その一方で、繰り返しになりますが、こういう歴史があるから侵略していい、こういう地理条件だから紛争を起こしていいということにはなりませんよね。つまり歴史観を戦争、特に侵略戦争を正当化する根拠にしないという前提のもとに、歴史は扱われるべきだと思います。それとも、そのような考え方自体が、戦争に意義を認めず戦争を頭から否定するイデオロギーに囚(とら)われているということになるのか。
一部の議論の中で、ウクライナとロシアには非常に密接な歴史がある、だからロシアの行動はある程度仕方なかった、というような意見があります。それもある種、歴史によって侵略を説明することになってしまっている。歴史論争として議論するとしても、今回の侵略戦争の議論とは切り離して考えたほうがいいでしょうね。

加藤 ロシアにしろウクライナにしろ、国民の交戦意識の背中を押しているのは、ソビエト崩壊後の歴史的な自意識だと思います。

ウクライナの場合、東西ドイツが統一して以降、ロシアから独立を果たしたという自意識があるでしょう。それが国民を結びつけ、国を支えているわけです。そういういわば国民の歴史意識に、ロシアがくさびを打てるのかどうか。

太平洋戦争の話でいえば、アメリカは西部ニューギニア戦を終えたあと、1944年6月頃から日本本土への本格的侵攻を計画し始める。その時に何をやったのか。日本人は明治維新以降、幕府を倒して、天皇の国家を創造して成功した、という歴史意識を持っていると見て、天皇と軍部、軍部と国民を心理的に切り離そうとしたんですね。マッカーサーはアメリカ太平洋陸軍内部に心理作戦部を設置する。その部長についたボナー・フェラーズ（Bonner F. Fellers准将）は、米国の陸軍大学で天皇の軍隊についての論文を書いた人です。

歴史観というのは、その国民を結びつけているような意識にくさびを打ち込むことができるわけです。そういう点でも、いろんな歴史観を理解する意味はあると思います。

昭和天皇とファシズム

加藤　そう言えばウクライナ政府の公式とされるＴｗｉｔｔｅｒアカウントが投稿した動画で、「ファシズムとナチズムは１９４５年に敗北した」とのメッセージに、ヒトラー、ムッソリーニ、そして昭和天皇の顔写真が並びました。日本政府が昭和天皇の写真の削除を要請し、在日ウクライナ大使館が謝罪をするという騒ぎになりましたね。今、文句を言わなければいけないことなのかなと思う一方で、ヒトラー、ムッソリーニ、昭和天皇の三者の顔が並んでいるのを見た時には、確かに私も違和感を持ちました。

杉田　ファシズムという言葉は20世紀以来、いわゆるレッテル貼りの用語として濫用（らんよう）され、気に入らない相手をファシストと呼ぶ安易な風潮があることも事実です。そういう手垢がついた言葉は使わないほうがいいとも考えられる。ただ、かつて日本、ドイツ、イタリアが、細部では違いはあれど、言論を抑圧し、社会の多様性を否定する点で同様の政治体制であったというのは、それなりに世界に浸透している歴史観です。もちろんそれとは違う歴史観もあり、日本には「ドイツ、イタリアとは違う」と考える人たちもいます。けれども、世界の多くの国・地域ではだいたい同じように捉えられていることは事実です。

加藤　日本は第二次大戦、つまり太平洋戦争に入っていく際に日独伊三国軍事同盟[*2]を結んでいました。そして枢軸国の一国であった日本は敗北し、東京裁判があって、その結果を受け入れて戦後に独立を果たしてきた事実があります。その意味では、三者の写真を並べてもおかしくないでしょう。

ただ、ムッソリーニのファシズム、ヒトラーのナチズムは１９４５年までに打倒されました。

さて、昭和天皇に当たるスローガンとはどんなものか。あえて考えると、いわゆるアジア主義、日本を盟主とするアジアを垂直的に作ろうとした大東亜共栄圏思想でしょう。ただ、これをファシズム、ナチズムと並べることに、私としては少し無理を感じるわけです。

戦前期の歴史的・倫理的な見方とはいえ、日本人は国体、天皇というものを捉える際に万世一系の天皇が国を治めていることを、ありがたいと考えていました。昭和天皇はそのバックラウンド、皇統を背負った人ですね。連続した線上に居ると観念される存在です。

それに対して、ヒトラーもムッソリーニも独立した個人として、良くも悪くも世界を動かす可能性があった人です。そういう歴史を動かした個人と、国体や皇統は憲法的な制度や考え方ではなく、歴史的な観点であり倫理上の観念ですが、そういうものと無縁ではない昭和天皇、つまり独立した個人とは言えない天皇を並べることに、いわば不安定さを感じる日本人は少なくないと思います。

長谷部 現在の憲法の下では、天皇は日本国の象徴、日本国民統合の象徴です。ただ、戦前も天皇は象徴でした。昭和天皇は戦前の大東亜共栄圏を作り上げていくうえでの、いわば歴史的な使命を担う象徴だったんですね。それに加えて戦前の天皇は、帝国臣民の願いを投影される偶像でもありましたが。

日本は戦争に敗れ、憲法も抜本的に変わり、「平和国家」として戦後再出発しました。戦後の昭和天皇はその象徴でもあり続けてきたわけです。その何とも言えないすっきりしないところが、あの騒動に表れていたと思います。

他国の土地を奪う国の末路

加藤　西側諸国はプーチンを退場させることを考えているでしょう。しかし、軍事的に圧倒できなければ、ロシアの国民を覚醒させることはできないのではないでしょうか。

日本は第二次大戦の最末期、原爆という究極のもの、あるいは満蒙開拓民を捨てて逃げた関東軍を目にしたことによって、人々の歴史観が変わりました。それまでの日本は、明治維新によって天皇中心の国家となって国民の生活を増進させた。度重なる戦勝によって日本は不平等条約を脱し、文明国として認められた、との歴史観でした。それがうまくいかなくなったとき、

＊2　**日独伊三国同盟**：1940年9月27日にベルリンで調印された日本・ドイツ・イタリアの軍事同盟。40年6月の仏国軍の対独降伏は、東南アジアからの宗主国の退場を意味し、講和会議の可能性を鑑みた日本軍部の一部により、39年9月勃発の欧州大戦に参戦していなかった日本が独伊と対等に戦後処理を協議するために三国同盟締結が企図されたとの解釈は、前年の日独伊防共協定強化に反対した海軍が賛成に転じた理由をよく説明する。日独伊の指導的地位の確認、第三国からの攻撃に対する「政治的、経済的、軍事的方法」による相互援助が約束された。実質的には対米軍事同盟を意味したが、日独伊間に実質的な軍事協力の細部が協議されたのは42年以降のことだった。

むしろ世界の側がオーダーを変えて日本を排除し始めた、と憾(うら)みに思うようになったのでしょう。

天皇と国民をつないでいたのは、軍事指導者でした。しかし戦後、連合国が軍事指導者と天皇や国民を切り離す策を進めると、あっという間にそのつながりが切れてしまった。歴史観を変え、国民と天皇の新たな世界を構築しようとするアメリカの囁(ささや)きによって、敗戦の責任は、すべて軍部にある、と考えるようになったんですね。

杉田　軍事指導者を排除しない限り、日本もドイツも変わらないとアメリカが考えたのは理解できますが、それなら原爆も必要だったと我々は受け入れなければならないのでしょうか。「覚醒」するのが遅かったとしても、あのような悲惨な大量破壊兵器を使用する理由にはならないでしょう。

それにしても今回、軍事力によってロシアの体制変更を進めるという、ノルマンディー上陸作戦[*3]のような展望がない中で、どのように局面を打開していけるでしょうか……。

加藤　プーチンの国民向けの発言ではなく、意図に注目して考えたいですよね。先にも触れましたが、戦争を始める人の意図と、国民向けの発言は全然違います。

戦前の日本を例にすると、満州事変の首謀者である石原莞爾(かんじ)の意図は、アメリカとソ連に対する戦争の準備でした。一番有利な国境線で戦えるように満州を兵站にしておく。彼は意外なことには、対ソ戦に向けて日本軍が準備すべきは毒ガスだと事実上認めている記録が出てきます。日本は対ソ戦において航空兵力では太刀打ちできないからだ、と。

けれども、陸軍のプロパガンダは、日本国内のインテリ向けには「中国は条約を守らない国である」と言って、外交面での不満に訴えかけ、農民に向かっては「日本は土地が狭くて人口が過剰である。このことを左翼は忘れている。土地所有制度を根本的に改革することでは改革はできない。五反歩の土地をもって、息子や娘を中学や女学校に通わせられるか」「あの満蒙の沃野を頂戴しようではないか」などと、ダイレクトに物欲で煽動しています。このような国内向けの発信は、当時の昭和恐慌からの脱出の術にもなっていて、非常に計算されたものでした。[*4]

さて、プーチンの意図は何か。一番はウクライナがNATOに入ることによって、「ロシアの安全が脅かされる。だから占領する」というものでしょう。しかし、占領したからといって脅威がなくなるかというと、そうではない。満州によって進退きわまった戦前の日本と同じよ

＊3　ノルマンディー上陸作戦：第二次世界大戦中の1944年6月6日、ナチス・ドイツが占領するフランス北西部ノルマンディー地域に、米英などの連合国軍が決行した大規模な上陸作戦。連合国軍の攻勢と勝利のきっかけになった。「Dデー」と呼ばれる作戦開始日だけで連合国軍兵士約1万人が死傷した。

＊4　参照、加藤陽子『満州事変から日中戦争へ』（岩波新書、2007年）7〜8頁。

うな道をたどると思います。つまり、他国の土地をとることを安全確保の目的とする国には必ず滅びが始まるのです。それは２４００年前のペロポネソス戦争から変わらない教訓だと思います。

長谷部　プーチンは「力は正義」と考えているのでしょう。

１９３８年のミュンヘン会議でイギリス首相のチェンバレンが主導して、ヒトラーにはヒトラーの正義があり戦争は避けられるんだからと、チェコスロバキアに譲歩を促し、ナチス・ドイツが要求していたズデーテン地方の割譲が決まりました。しかし結局、第二次大戦は避けられませんでしたね。

既存の秩序を壊さないように試行錯誤したのが、不戦条約以降の人類が基本的に取ってきた道でしょう。どちらにも言い分があるというとき、武力で無理やり相手をねじ伏せるのは避けようとしてきた。そうした秩序を壊そうとしたのはどちらなのかが、今回の問題だと思います。

加藤　やはり第一撃をどちらがやったのかが、大事でしょうね。

歴史に見るウクライナ

加藤　ウクライナの歴史で言えば、ソビエト社会主義共和国時代の前に、ウクライナは長く、ハプスブルク家のオーストリア＝ハンガリー帝国に属した南西部の「ガリツィア＝ロドメリア王国」と、ヘーチマン国家を経てロシア帝国に属した北東部の「小ルーシ」に分かれていました。前者の中心都市がリビウ、後者がキーウです。

つまり、リビウとキーウは都市として生い立ちが全く違うわけです。けれどもゼレンスキーは、その歴史の差を乗り越え、全体を統御して戦っている。それは、ある意味ですごいことだと思います。

ウクライナは日本のように「一つの国」という歴史で語れない地域です。にもかかわらず、なぜロシアの侵略に対して、まとまることができたのか。理不尽さに対する怒りなのか、体制を選ばなければならないという危機感なのか。ウクライナにはユダヤ人が多く住み、ドイツやポーランド、ロシアから危害を加えられてきた歴史があります。ゼレンスキーがユダヤ人であることも、国民のまとまりに影響している気はしますが……。

杉田　マイノリティの問題に関して言うと、少し前の段階では、ウクライナの民族主義者が東部地域などで活動していました。彼らにはネオナチ的な要素も一部にあったようです。第二次大戦中にソ連と戦ったウクライナ蜂起軍の流れをくんで、ユダヤ人でなくロシア語系の住民と戦っていたわけです。ゼレンスキー大統領がユダヤ人であるからといって、一部の過激なウクライナ民族主義の問題点を無視するわけにもいきません。
軍事侵攻が始まってからも、東部のロシア語話者のウクライナ人が、ロシア側に寝返るといった動きはまだあまり見えていません。その意味ではウクライナのアイデンティティはかなり強固である、と見ることができそうです。

長谷部　アイデンティティは必ずしも言語では分けられないのでは。

杉田　もちろん、言語アイデンティティと民族アイデンティティは区別しないといけません。言語アイデンティティだけを特権化すると、プーチンのように、ロシア語を話していればロシア人、などと言い出すことになります。ヒトラーも、ドイツ語を話していればドイツ人だと言っていました。

ただ、東ヨーロッパのように言語共同体が入り組んでいる地域では、公用語を一つに限定する政策は、バックラッシュを生みやすいのでは。実際、ウクライナ東部では、ロシア語話者の不満がかなり高まっていたという話もあります。東部でのロシア語使用を認めるとロシアとの融合が進みかねないという懸念をウクライナ政府が持ったことはわかりますが。

プーチンとは違う意味で、国内で多数の言語が共存する「多文化主義」的な対応を各国は考えないといけないというのが、今回の一つの教訓ではないでしょうか。

長谷部　ロシア語を排除するかどうかと、ロシアが侵攻するかどうかは無関係では？　ウクライナがロシア語を話す人々を抑圧していたから、というロシアの言い分は疑ってかかったほうがいいと思います。

杉田　ウクライナでは、公務員試験にウクライナ語能力試験を導入したり、義務教育の使用言語をウクライナ語に統一したりといった政策がとられてきました。しかし、たとえばベルギーは3言語（オランダ語、フランス語、ドイツ語）、スイスは4言語（ドイツ語、フランス語、イタリア語、ロマンシュ語）で国家を運営しています。ロシアの隣のフィンランドも2言語（フィンランド語、スウェーデン語）です。もちろん歴史的背景はそれぞれ違いますが、やはり重要なポイントでしょう。

長谷部　言語をめぐって紛争が起きることはありますが、言語対立があったからロシアが攻めていいと判断したんだということにはなりません。その因果関係は少し慎重に考えたほうがいいでしょう。

そもそもクリミア半島を併合した際、ロシア側は無理やり紛争を作り上げて東部地域に民兵や正規兵を送り込みました。それでウクライナ軍が反撃し、一般人のいる地域も攻撃されたわけです。そこに何かの文化的な対立があったからというよりは、ロシアが仕掛けた対立でしょう。

加藤　ロシアには、やはりウクライナに対する徹底的な過小評価と見くびりがあった。日中戦争の時の日本と同じように、「理論武装は不要だ」くらいに思っているのかもしれない……。

杉田　もちろん、ロシアが攻めたことを正当化するつもりは全くありません。言いたかったのは、ウクライナの民族アイデンティティと言語的アイデンティティは別なので、ウクライナのアイデンティティを守りながら、言語については多言語的に運用することもできたのではないか、ということです。その辺が多言語社会ではない日本では、なかなか理解できていないのではないでしょうか。

戦前と重なる手口

加藤　プーチンは西側諸国による制裁について、ロシア文化が差別の対象になっているといった発言をしましたね。少し前には、「日本の教科書は連合国が原爆攻撃をしたと書き、アメリカに触れていない。西側諸国は気に入らない事実をかき消している」といった発言をしています。

ロシアは、第二次大戦で日ソ中立条約に違反して日本を攻撃したと言われないために、1943年のモスクワ宣言[*5]や国際連合憲章を綿密に読み込み、国際的な学術研究の場などでしつこく、ロシアの中立条約違反は、連合国による要請であったという、ある意味で綿密に準備された「説明」をしてきました。

しかし今のプーチンは、日本の教科書に関する誤った知識で西側諸国を批判しています。もはや西側には興味をなくして、アフリカや南アジアに政治宣伝すればいいと開き直っている感じがするんですね。そんなプーチンが退場する可能性はあるのでしょうか。

長谷部　ロシアの選挙は名ばかりのごまかしで、最初からプーチンが勝つことになっています。政敵は監獄に入れたり、毒殺しようとしたりする事件も起こしました。さらに、憲法を改正し、プーチンはこの先も大統領でいられるので、権力を継承していくプロセスがありません。国家主席の任期制限を外した中国もだんだんロシアのようになりつつあります。

杉田　しかし、プーチンは急に今のような独裁者になったわけではなく、もう20年以上も権力の座にいます。その間、メドベージェフに権力の座を渡した〝ふり〟をしたこともありましたが。外部からの批判にはつねに限界があるにしても、国際社会は彼を十分に批判してこなかったようにも思います。

「ロシアはそういう国」と甘く見ていたら、すっかり独裁者になり、ウクライナに侵攻した。今、東ヨーロッパでは強権的な人が権力の座にいる国が多い。たとえば、ハンガリーなども現政権の都合のいいように憲法改正をしました。

こうした情勢を見ると、やはり憲法は重要ですね。憲法解釈を含めて憲法を変えることによ

＊5　モスクワ宣言：１９４３年10月、アメリカ・イギリス・ソ連の外相が協力維持と新しい国際組織の設立などを宣言、中国大使も署名。

り、日本でも第二次安倍政権から政治の劣化が急速に進みました。

長谷部　ロシアの憲法は〝フェイク〟憲法です。言論の自由は書いてある〝だけ〟です。

杉田　ただ、難しいのは、ウクライナの運命はウクライナ人が決めるということとパラレルに考えると、ロシアではロシア人たちがプーチンを選び続けているので、外国から文句を言うべきではないということになりかねないのでは。

長谷部　ロシア人が決めているというより、プーチンが勝手に自分を選んでいるのでは。

杉田　そうも言えますが、ロシアにもプーチンの「岩盤支持層」があるようです。

長谷部　ベラルーシのルカシェンコは「ミスター3％」と言われています。国民の支持率3％でも選挙結果をごまかせばずっと大統領でいられるわけです。プーチンにもそれは当てはまるのではないか。

加藤　戦前期の日本、ナチスもそういう手口を使いました。憲法を変えなくても選挙制度の運用と実態でいくらでも操作できたわけです。

杉田　ロシアでは、ジャーナリストや知識人への弾圧が強まってきましたが、一般の人々の反応は鈍かった。今度の戦争で初めて、独裁のリスクに向き合うことになるのかもしれません。

国連改革の可能性

加藤　今の国連は機能不全に陥っているために、改革が必要だという議論があります。今後の可能性としては、核不拡散条約のもとに結集する〝第二の国連〟をつくるようなことはあると思います。ただ、条約締約国や同盟関係にある国だけが集まっても、違う意見の国々が一堂に会するという国連の意味をなさなくなります。常任理事国であるロシアの拒否権をどうすればいいのか考える人もいますが、それは一朝一夕には解決しないし、そもそも異論のある人たちをどうまとめるかが国際機関としては大事なんですね。

杉田　選択肢としては、ロシアを安保理から排除するか現状維持か以外にありません。ロシアが安保理を抜ければロシアの拒否権は発動されなくなりますが、そのほうがいいかどうか。そうなれば、ロシアは国連総会にも来なくなるでしょう。今はラブロフ外相などが来て、恥をさらしている。それだけでも来ないよりはいいとも考えられませんか。

長谷部　朝鮮戦争が始まった頃、ソ連は、1949年に建国された中華人民共和国を中国の正統政府として認めないことが不満で、国連の安保理の会議を欠席し続けました。常任理事国は、1971年まで中華民国が務めています。ソ連が欠席したことで、拒否権が発動されることもなく、国連は朝鮮戦争に対応できたんですね。

だから改革というわけではないけれども、「あなた自身が紛争当事者である以上、あなたに議決権はありません」というやり方は、一つの手だと思います。

杉田　筋としては手ですが、国連憲章を改定しないといけない……。

長谷部　総会での3分の2の多数決で採択した上、すべての常任理事国を含む加盟国の3分の2の批准を経ないと憲章の改定はできないため（108条）、実現可能性は低いでしょう。ただ、もともと国連は第二次大戦時の連合国です。みんなで協力するはずの集まりなのだから、それが筋ではあります。初めから国連憲章に、当事者には議決権はないという一文を入れておけばよかったんですよ、集団的自衛権がどさくさで入ったように。

杉田　集団的自衛権について言えば、NATOの意味についても、どう考えるべきか。ワルシャワ条約機構がなくなった後、NATO主導の「平和のためのパートナーシップ」という枠組みにロシアも入ったわけです。しかしプーチンは、これは事実上の対ロ包囲網だと言うようになった……。

長谷部　プーチンは10年くらい前までは、NATOを批判していませんでした。2004年にバルト三国がNATOに入った時にも文句を言っていない。批判するようになったのは最近です。

杉田　これから、NATOの必要性という議論がさらに国際社会の中で高まっていってもおかしくない。安倍政権による集団的自衛権の行使容認に対しては、集団的自衛権そのものについての評価は棚上げにして、現憲法の下で、解釈によって集団的自衛権を導入することは立憲主義の観点からできない、という一点で一致して、ここにいる我々も反対したわけですが。

長谷部　こういう事態になった今、ＮＡＴＯはそれなりの役割を果たしていると言えるでしょう。現にロシアはＮＡＴＯ加盟国には攻撃をしかけていません。しかしこれ以上の事態、ロシアがさらなる一線を越えた時にＮＡＴＯの集団的自衛権がうまく働くかどうか。それは実際にはわかりません。

杉田　ウクライナはＮＡＴＯ加盟国でないから侵略された、という単純な議論もありますが、それならバルト三国などにロシアが万一入った場合に、本当にＮＡＴＯがロシアとの全面戦争に踏みきるのかについては、今回の事態の中で改めて疑念が湧いていますよね。北大西洋条約第5条では、加盟国が攻撃された場合、ほぼ自動的にＮＡＴＯが対応するとなっていますが、それでも、そういう疑念が出ています。

　まして、日本の場合に関係するのは日米安保条約ですが、その第5条では、日本が攻撃された場合アメリカは「自国の憲法上の規定及び手続に従って共通の危険に対処するように行動する」とされているだけであり、アメリカ議会が「行く必要はない」とすればそれで終わりです。その一方で、沖縄などに多数置かれている米軍基地は、攻撃対象となりますしね。その意味で、集団的自衛権には多くのリスクが伴います。

緩衝地帯という概念

杉田　今回の事態を受けて、ロシアの立場も理解すべきだとする人々を中心に、地域の安全保障上、大国の周囲にはある程度の緩衝（かんしょう）地帯、バッファーが必要ではないかといった地政学的な話が公然と出てきています。その文脈で、ウクライナだけでなく、かつてソ連に属していたバルト三国などがＮＡＴＯに入ったことも、ロシアへの挑発行為だったと批判される。しかし、それらの国はいずれも主権国家ですから、自分たちがどうするかを自分で決める権限があるはずです。かつてソ連がチェコスロバキアに軍事介入した（プラハの春）際に、社会主義陣営全体の利益のためには、各国の主権はある程度制限されるという「制限主権」論をソ連は主張しましたが、それと似たような話です。

この緩衝地帯という概念がいかに失礼かは、日本の場合に当てはめてみるとわかります。日本は海に囲まれているとはいえ、位置的にはアメリカと中国、アメリカとロシアの間にあるわけです。だから日本は緩衝地帯としてふるまえ、と外国の人々に言われたら、素直に従えるのか、ということです。

私自身は、政治思想を研究してきた者として、主権という概念がはらむ独善性というか、それを絶対化することの危険性については、いつも意識していますが、大国の周りの小国は「弁（わきま）

さそうです。

えろ」といった大国主義的・帝国主義的な議論に対しては、あえて主権概念で対抗するしかな

ところで、集団的自衛権の限界ということとの関係で、国連が作られた当時に想定されてい

た、国連加盟国全体で安全保障をするという集団安全保障体制についてはどう見ますか。

長谷部　国連自身が何か実力部隊を備えて、いざという時に制裁を行うとか、紛争地域に介入

してとにかく力ずくで停戦させることができれば、それは結構な話です。しかし、現実にはそ

うはなっていませんし、それをどうやったら実現できるのか、道筋がなかなか描きにくい。

国連が今、機能不全に陥っているのは、安全保障理事会の常任理事国であるロシアが紛争当

事国で、拒否権を発動するからですよね。これを何とかしようとすると、それこそ国連憲章自

体を変えなければいけない。ただ、さきほども言った通り、憲章を変えるには安全保障理事会

の常任理事国すべてが賛成しなければならない。当面は難しいでしょう。

加藤　国連自体が実力部隊を備えるべきだとも言われています。

長谷部　現在の国連憲章は、本当はそれを想定しているはずです。けれども、現実にはそうは

なっていません。その大きな理由は国際社会がやはり国家単位でしか動かないということ。そ

れぞれの国家が果たして自国の国益を離れて軍隊を動かすか、あるいは軍隊をほかの機関に供

与するか。たとえばアメリカが、アメリカ人の生命が関わっていない、あるいはアメリカの国

益がかかっていない場合でも軍を動かすか。それは、考えにくいわけです。こういう各国それぞれの自然とも言えるものの考え方を乗り越えて、実効的な国連を作ることができるのか。簡単な話ではありません。

杉田　国連は「無力」だと言えばその通りですが、そうは言ってもロシアは国連にとどまっており、その場である意味恥をかいているわけですよね。ロシアが何を言ってもみんな聞く耳を持たないような状況です。

もちろん、ウクライナに対するロシアの侵略戦争がどういうかたちに向かうのか、決着するのか、あるいは暫定的なかたちで長期の問題になるのか。そして、ロシアが勝ったと宣伝できるようなかたちになるのかさえ、まだわからない状況で、今はすべて不確定です。

ただ、改めて強調しますが、今回の戦争によって、侵略戦争が許されないということが、世界に浸透したことの意義はあると思います。

日中戦争との類似性

加藤　日本人がロシアとウクライナの戦争を見る時に、ロシアの今やっていることは1937年頃、日本が中国にやっていたことと同じ部分があると考えることが大事だと思います。当時、日本はとにかく中国を侮(あなど)っていて、実際に華北を経済的以上の支配地域に入れていました。それに対して中国は１９３３年頃から対日戦の準備を実は着々としていた。今のロシアもウクライナを侮り、東部のドンバス地域に共和国独立を認め、支配地域にしようとしています。でも、２０１４年のロシアによるクリミア併合時の自国の失策、ロシアに放送局を制圧されて偽情報を流されたりして、圧倒的な情報戦争に負けた「教訓」に学んで、ウクライナ側は、米国の軍事的な協力を受けつつ、かなり準備をしていたわけです。

日清戦争以降、日本はずっと中国を下に見ていました。それが１９３７年８月の上海戦の緒戦の負けにつながり、その負けが45年まで祟るわけです。日本軍の弱さに市場は中国へと好感し、中国の通貨である法幣は下落しないのに、日本の対ポンドの為替が急落してしまう。37年の日本は、対ソ戦が連動して起こってしまうのを恐れるあまり、中国戦線には主に予備兵、年齢も高い兵士と装備の十分でない特設師団を送りました。だから弱かったし軍紀も目を覆わんばかりのひどさとなりました。緒戦の頃のロシア軍も指揮官は別として、演習だと騙されて、教育召集のまま連れて来られたような若い未熟な兵士が多かった。

自国の安全を獲得するために、近隣国家に戦争を仕掛けるということは、もうすでに近隣相手国への認知が歪んでいるということですね。侵攻した国を支配下に置くことで、どうして自国の安全がより安泰になるのか。

日本の場合、日清・日露という戦争では綿密に戦っていたと思います。しかし、満州事変の後、中国は蔣介石の主導で、戦略的に張学良など当時の軍閥を政府に取り込むかたちで挙国化を進めていました。日本はその蔣介石のやり方の意味を考えませんでした。実際、中国は満州事変の2年後の1933年2月の熱河作戦であっさり退却してしまっています。この満州事変と日中戦争の間の出来事を見て、日本は「中国は何もできない」と判断したわけです。

しかし、1937年の上海戦の時はどうだったのか。中国はアメリカから兵士を訓練するような義勇軍を入れ、飛行機も購入し、ドイツやイタリアからも様々な武器を買って軍備を整えていました。これを日本軍は知らなかった。決戦場となる部分にトーチカ（銃火器などがあるコンクリート造りの防御陣地）ができていたことを現地陸軍は知らなかったんですね。これは昭和天皇の太平洋戦争中の述懐に登場します。1942年12月11日、侍従の小倉庫次(おぐらくらじ)に対して、「支那事変で、上海で引かかつたときは心配した。停戦協定地域に『トーチカ』が出来てるのを、陸軍は知らなかつた」と語っていました。[*6]

偵察部隊が、こうした中国の情報を把握できていなかったのは、驚愕(きょうがく)すべき失敗です。それを日中戦争の緒戦の国際社会が注視する中で見せてしまったことで、日本は各国から見下されてしまう。同じような失敗をロシアは今しているのではないでしょうか。

ロシアはウクライナを植民地と同じように思っている。ただ一方で、ウクライナはソビエトの中で第二の軍事力を持っていた国なんですね。そこをロシアが見くびっていたために、こんなに苦戦しているのだと思います。かつての日本と同じように、短期決戦構想にロシアは失敗しています。

この先どうなるか、やはり日中戦争と似た部分が出てくるのではないでしょうか。

長谷部 先ほど歴史観の話になりましたが、それに関連してヘーゲルとカントの違いについて述べておきたいと思います。18世紀末から19世紀はじめに活躍したドイツの哲学者ヘーゲルは、歴史は終着点へと向かって進んでいく理性の歩みだと言いました。そして、歩みを進めると、それまでの既存の法や秩序、道徳は全部覆される。膨大な人命が犠牲となる戦争や革命が起こる。そうして歴史は前進していくという考え方です。

このヘーゲルの思考法は彼の没後に右派と左派に分かれ、ファシズムと共産主義に受け継がれます。ファシズム、ナチズムはヘーゲル右派、ソ連はヘーゲル左派。どちらもヘーゲルの思想を歪曲しているのですが、現状で受け入れられている法や道徳を軽視し、乗り越えられるべき対象だとする点は共通しています。

世界は偉大な民族、偉大な指導者によって指導される。つまり、世界史的な民族なり世界史的な階級なりが歴史の歩みを進めて、より高次の段階に進むために革命を起こすことを重視し

＊6 参照、「『小倉庫次侍従日記』昭和天皇戦時下の肉声」『文藝春秋』２００７年４月号、１６５〜１６６頁。

ている。そのためには国際法、国際的な秩序といった法や道徳もすべてひっくり返す。民族として、階級としての使命を果たす、という話です。

これに対してカントの考え方はどうか。人はそれぞれ何が正しいかについて考え方が違う。国家も同じで、それぞれ何が正義か、何が正しい国際秩序かは国によって考え方が違っている。だからともかく現状を力ずくで変更しようとするのはやめるようカントは言っています。すべての当事者が、国内では一つの客観的法秩序を尊重しなければ、国際社会では多数の共和国からなる秩序あるバランスを尊重しなければ、平和な社会生活はあり得ない。

結局、現在のロシアと西側諸国との対立はヘーゲルとカントの対立なんですよね。既存の法も道徳も全部ひっくり返して歴史を前に進め、ロシア民族の使命の実現を正義とするヘーゲル流の立場に立つのか。そうではなくて、現状を力ずくで変えることを押しとどめようとするカントの立場に立つのか。その選択が今は問われていると私は考えています。

核共有の危うさ

杉田 そうした世界観というか根本的な認識方法そのものをめぐる対立が背景にあることを前提とすると、紛争の先行きについては、ますます悲観的にならざるを得ないですが……。いずれの側も世界観を簡単に変えることはできないので。

ところで、安全保障のあり方についての議論に戻しますが、ウクライナが「核の傘」の外に出たというか、ソ連時代に持っていた核兵器を放棄したことが、今回、ロシアの攻撃を許した背景にある、といった議論の文脈で、安倍元首相らは、ヨーロッパでの「核共有」のようなものを日本もすべきではないかと主張しました。これに対しては、日本の国是である非核三原則にも、国際的な核不拡散条約にも反するということで、岸田首相もすぐに否定的な見解を示しました。原子力のいわゆる「平和利用」だけを日本に認め、日本の核武装化を止めてきたアメリカが賛成するはずもないですし。

長谷部 ヨーロッパの場合は短距離核戦力という形で核を共有しておかないと、いざ有事が起きた時に間に合わない。日本の場合は周りに原子力潜水艦も空母も配備されているので、日本に核を置いておく必要性はないはずです。しかも日本の場合、核を置いてもアメリカの了解がないと使えないのですから、核共有は日本にとって全く意味のない議論だと思います。

杉田 しかも、核兵器を置いていたら、その場所が狙われるだけです。

長谷部 どこにあるかは明らかにしないと思いますが、だいたいの目星はつきますよね。

加藤 日本の場合、武器輸出の問題もあります。ウクライナへのヘルメットや防弾チョッキなどの供与が「防衛装備移転三原則」に反するのかどうかという議論がありますね。

武器輸出三原則の緩和は2011年、民主党の野田佳彦政権のもとで官房長官談話のかたちで行われました。そして14年に安倍政権のもとで武器輸出三原則に代わって「防衛装備移転三原則」が閣議決定され、大幅に緩和されました。

加えて、日本は1960年代からピストルなど小火器を輸出していたし、80年代には複数の日本企業が軍事用の技術を共産圏に輸出していたことが明らかとなった、ココム（COCOM、対共産圏輸出統制委員会）違反が大きな問題になりました。

要するに日本では、武器輸出の問題は技術移転を含めて、法の枠から外れたかたちで進展していたわけです。我々はこの点も理解しておかなければいけないと思います。

杉田　防衛装備移転三原則では「紛争当事国への移転」は認められていません。岸田政権はウクライナの場合、国連が紛争当事国と認定していないことを理由に、NSC（国家安全保障会議）がその運用指針に「国際法違反の侵略を受けているウクライナ」と、わざわざ追加しました。

加藤　日本では、PKO（平和維持活動）で派遣された自衛隊が何の武器を使うかという国会での議論に多くの時間が割かれました。今回はヘルメットや防弾チョッキという物を現地に届けるだけで、人間は動きません。しかも一方的に侵略された側が防衛のために使うということで国民感情として、大きな反発がなかった。しかし、国政上の重要事項ならやはり国会で審議しなければいけないのではないでしょうか。

長谷部　いつまでも経済産業省のガイドラインで運用するのではなく、きちんと法律に落とし込むべきだといった批判の声もあまりありませんでした。

杉田　今回の措置の是非についての議論も含めて、際限なく防衛装備品の移転が進むことがないよう、国会審議で議論を重ねて、きちんとした規則・形態を法律も含めて検討すべきですよね。

長谷部　敵基地攻撃能力（反撃能力）の議論もありますが、どこの国の何を攻撃するのか、その攻撃対象が定まっていることが前提のはずです。

杉田　敵基地攻撃というのは、まだ武力行使が始まっていない段階で相手に対して攻撃を行うことになります。これは、「専守防衛」というこれまでの日本の安全保障政策を根本から変えることになりますので、目先のことに引きずられるのでなく、その意味についてよく考える必要があります。

長谷部　先制攻撃はダメだと、ずっと政府見解で言ってきました。

杉田　戦端が開かれていない段階で、中途半端に先に攻撃をしたら、かえってとんでもないことになります。先に手を出したことを国際的に非難されるリスクに加えて、軍事的には１００％全部敵基地を除去する前提でないと意味がない。ウクライナにしても国境の向こう側のロシアにミサイルを撃たないのは、撃つともっと大変なことになるとわかっているからです。日本の議論は空想的ではないですか。

長谷部　それについても、第3章で登場したトマス・シェリングが言っています。相手の攻撃能力を全滅させせられるというのでなければ先制攻撃には意味がない、と。そういう意味では北朝鮮が持っているミサイルも純粋に防衛的なものでしょう。日本にミサイル攻撃をした時のほうが、北朝鮮にとってもリスクが高いはずです。

敵基地攻撃と憲法9条

杉田　今、日本で起こっている敵基地攻撃、核共有論、防衛関連予算の増額といった議論は、もちろん憲法9条にかかわる話です。9条があるから日本は防衛できない、といった印象論がまた唱えられていますが、長谷部さんたちが精緻(せいち)な憲法論によって示してきた通り、自衛そのものが9条によって封じられているわけではありません。国権の発動たる戦争、国際紛争を解決する手段としての武力による威嚇や武力の行使をしないというのが9条の内容で、これはまさに、今回のロシアのような行動をしてはいけないということです。ウクライナが迫られているような、自衛そのものが禁止されているわけではない。

9条の内容は、基本的には1928年の不戦条約と第二次大戦後の国連憲章等で形成されてきた侵略戦争の違法化という、国際社会の秩序に沿ったものです。その意味で言うと、先ほどから言っている正戦論とも、あるところまでは一致している。ただ、憲法9条が正戦論の枠内に完全に収まっているのかというと、私はそうではないと思う。

たしかに今回の戦争に、アメリカは武力行使などの直接の関与はしていませんが、相当程度、協力しています。また、アメリカは従来、イラクやアフガニスタンなどで、個別的自衛権などを理由に強引な武力行使に踏み切りました。イラク戦争は、イラクが大量破壊兵器を保有しているとの誤解によるものでした。テロリスト集団の犯罪行為を理由に、直接関係していないアフガニスタン国家に対して個別的自衛権を発動するというのも、かなり強引でした。

そういうアメリカの行動様式と、日本の憲法の下で戦後積み重ねられてきた行動様式とは違います。日本は、専守防衛に徹し、侵略を受けたその時点で反撃することに自制してきた。これは国際社会の秩序のさらに一歩先を進むかたちで安全保障を考えてきたと言えるものです。先に手を出すほうが有利な場合もある。しかし、そういうことを認めれば、世界から戦争がなくならない。だから、専守防衛に自制するという選択をしてきた。

それを現在、他国並みにハードルを下げようとしているんですね。そのことがそもそも日本の安全保障にとっていいことなのか。少し落ち着いて考える必要があると思います。

そもそも日本の防衛費はすでに国際的に非常に高額であり、これ以上の防衛費増額は、過剰な軍事大国化につながるという意見もあります。また、本当に安全保障、専守防衛を考えるのであれば、まずは、重大な攻撃目標となりうる原発を撤去したり、侵略された時の対策として、ウクライナのようにシェルターを整備したりしておくほうがいいでしょう。

長谷部　日本国憲法下では、個別的自衛権だけが認められていました。それを安倍政権は、集団的自衛権の行使に道を開いたわけです。２０１４年7月1日の閣議決定です。

　政府も与党も集団的自衛権を部分的に認めたということですが、「部分的」がどういう部分なのか、さっぱりわからない。限界が全くわからない「部分的」な許容だったら、全体を許容しているのと見分けがつきません。

　そもそもこの閣議決定は、我が国に対する外国の武力攻撃によって「国民の生命、自由及び幸福追求の権利が根底からくつがえされる」緊急の場合のやむを得ない措置として、個別的自衛権のみが9条の下でも正当化される、つまり集団的自衛権は認められないのだとする１９７２年の政府見解の片言隻句（へんげんせきく）を切り取って、他国に対する武力攻撃によって「国民の生命、自由及び幸福追求の権利が根底からくつがえされる」場合には、集団的自衛権の行使も許されるとこじつけたもので、理屈が通っていません。集団的自衛権が許されないことを説明するための根拠が集団的自衛権を認める根拠になるはずがない。理屈が通っていないのに集団的自衛権の行使が「部分的」に許されると主張しようとするから、武力行使の限界がどこにあるかを指し示すこともできない。

この2014年の閣議決定以来、武力行使の限界とか、どういう場合にどこまでのことができるのかに関して、かつての極めて緻密な政府解釈の体系が全部吹っ飛んだと言っていいだろうと思います。要するに、〝たが〟が外れているんですね。だから、いろいろとよくわからない議論が噴出してきているし、それに〝たが〟をはめることができない。そういう状態に陥っている。

最近では、憲法論以前の問題として、いったい何を言わんとしているのかよくわからない議論が、少なくありません。敵基地攻撃、あるいは敵の指揮中枢の攻撃という話にしても、たとえば1973年の第四次中東戦争、イスラエルがシリアやエジプトと戦った戦争ですが、あの時、イスラエルはシリアの参謀本部を空爆しました。しかしだからといって、シリアが軍事行動を止めたかというと、そんなことはありません。

こうした限定戦争の場合、結局は前線での勝敗が事を決します。日本の敵基地攻撃の議論が何を使ってどこを攻撃しようという話なのかわかりませんが、本当に現実的かどうかを考えなくてはいけないでしょう。

また第四次中東戦争の時、イスラエルが核兵器を保持しているのは周知の事実でした。それでもイスラエルは緒戦の段階で、シナイ半島に攻め込まれて、存亡の危機、国家が滅亡するんじゃないのかという危機感を、政権の中枢をはじめ多くの国民が持ったはずです。しかし実際には核兵器を使わなかった。つまり、核兵器を持っているからといって、それを使用できるかは別の話なわけです。少なくともイスラエルのような民主的な国家だったら、いくら何でも使わないだろうと推測はできるんですね。

この話を日本に当てはめると、日本が核兵器を使えるよう安全保障を高めるという場合、日本はいざとなったら核兵器を使う、そこまでわけのわからない国家なんだという宣伝をこれから行わないといけないことになります。それを含めての議論ですから、杉田さんがおっしゃるとおり、もう少し冷静になっていただきたいと私も思います。

繰り返しになりますが、９条の条文は戦争、武力の行使、武力による威嚇も国際紛争を解決する手段としては、つまり決闘としてすることは放棄します、と言っているわけです。そのための戦力も持たない。戦力というのは戦争遂行能力です。９条１項は侵略戦争を放棄した条文だと言われることがありますが、これははっきり言って誤解です。

ただ何度も申しますけれども、自国が侵略を受けた時にそれを跳ね返すのは、どの国でも行うことです。個人レベルで言ってもそうですね。いきなり襲いかかられたら抵抗する。それと同じ話で、９条も自衛をするなという話ではありません。

もちろん、とにかく殴られるまま、殺されるままになるのが人としての正しい生き方とか、死に方だとする信条の方はいらっしゃるとは思います。けれども、そういう信条をすべての国民が持つべきだという話にはならない。ましてや、自衛の否定が憲法の正しい解釈だということにはならないわけです。

加藤 いわゆる抑止力についてはどうなんでしょうか。

長谷部 日本を攻めると大変なことになると、潜在的に侵略者に思わせることが抑止力だとして、そういうものを持つと本当に侵略を抑止できるかどうかは別の話です。たとえば太平洋戦争で、開戦前にアメリカはハワイの真珠湾に多数の軍艦をそろえていました。狙いはそれが、日本に対する抑止力になると考えたからです。しかし日本には、真珠湾を叩いておけば、当面は何とかなると思わせてしまった。つまり、こっちが抑止力と考えても相手がそう思うとは限らない。それこそ具体的に考えていかなくてはいけないことだと思いますね。

憲法9条が問題なのか

長谷部 ただ、情報収集や災害援助を含めて、自衛隊の組織・活動が丸ごとすべて違憲という非常識な主張をする憲法学者は私の知る限りいません。専守防衛のはずなのに海外で活動するのは問題ではないか、集団的自衛権の行使は憲法の限界を踏み越えているのではないか、現在の規模では自衛の範囲を超えているのではないかなど、自衛隊のどこが違憲かに関する議論は学者によって異なります。

逆に、憲法に自衛隊の存在を書き込んだからといって、自衛隊に関する憲法上の疑義が雲散霧消することはあり得ない。憲法に明記されている天皇制について、憲法で列挙されていない天皇の公的行為なるものが許容されるのかなど、いろいろな憲法上の疑義が提起されることを見れば、明らかです。違憲か合憲かはそういう意味で非対称です。丸ごと合憲ということはあり得ない。違憲性を指摘することははるかに容易です。これはコロナに感染するリスクがあるか否かと似ていますね。感染するリスクが全くない行動というのはあり得ません。どれほど気をつけても、感染するリスクは残ります。

当たり前の話ですが、憲法9条があるから絶対にどこも攻めてこないなんていうことはないし、9条をなくせばどこも攻めてこないということもありません。9条は、先ほど述べた「決闘としての戦争の放棄」です。決闘するための戦争遂行能力も持たないということで、自衛力の保持は排除していません。つまり、決闘はしません、決闘の手段としての戦力も持ちませんと言っているのが9条です。

国際紛争解決の手段としての戦争をはじめて違法化した1928年のパリ不戦条約も、自衛権の行使を排除しているわけではなくて、「決闘はやめてください」と言っているだけです。つまり、どこかが攻めてきた時のために、それを排除するための必要最小限の自衛力を持つことは全く問題がないんですね。

だから、9条があるからどうしようもない、ということはありません。改憲派はわざと言っているというよりも、何もわからないで言っている可能性のほうが高いのではないでしょうか。

杉田　9条自体は、前文と合わせて読めば「諸国民の公正と信義に信頼して、戦争を放棄する」のだから、紛争解決の手段として武力行使を考えません、と。では、どうするのかというと、まずは外交と国内政策の非軍事的な対応という平和的な手段です。それが憲法の趣旨ですよね。

そして、万一侵略された場合には自衛し、国際社会は侵略に抗議するという国際社会の前提は何も覆っていません。

加藤　私もそう思います。

長谷部　それはその通りだと思います。ただロシアは、「ウクライナは決して独立国家であったことがなく、今回の問題は国内問題」と主張しています。台湾に対する中国の物言いと一緒です。

台湾有事と武力干渉

杉田　中国の台湾侵攻に備えて、日本でも危機対応の必要性があるといったことが、一部で語られ始めています。アメリカが武力行使をするのであれば、日本も、今の安保法制よりもフルに近い集団的自衛権を持って協力しなければならない。そのためには9条改正だと……。

長谷部　アメリカも日本も「一つの中国」という立場をとっているわけですから、台湾有事は、中国の国内問題だということになります。となるとアメリカが「台湾有事に武力で干渉する」というのは、「中国に武力で干渉をする」のと同じです。仮に台湾有事でアメリカが在日米軍を出動させれば、それは日米安保条約の運用上「事前協議」の対象となるはずですから、日本もそれに協力していると当然見なされます。そうなれば、日本にもミサイルがどんどん飛来することになりかねません。

杉田　結局、アメリカにしても「一つの中国」を前提にすれば、台湾有事への介入などなかなかできませんよね。

長谷部　アメリカ政府が冷静に考えれば、そうなりそうですが。

杉田　バイデン大統領が、まるで口を滑らせたかのように、台湾有事に介入するかのような発言をして中国を頻繁に牽制（けんせい）しているのは、逆に、武力行使ができないからこそ「口先介入」をしているということでは。

加藤　そのとおりだと思います。ただ、脅威に対して焦燥（しょうそう）で応ずるアメリカ側の姿勢は、賢明なものとはとても言えません。2021年4月、当時の菅義偉首相が訪米し、日米両首脳の共同声明を出しましたが、その声明文中に「台湾海峡の平和と安定の重要性を強調」との文言が52年ぶりに入った時、私は驚きました。声明中の「新たな時代における同盟」という節の最終段落で、現在を「驚くべき地政学的変化の時代」と位置づけていたからです。

米海軍大学のエリクソン教授などが主張してきたように、中国の海洋戦略上の脅威の急激な増大は事実です。元防衛研究所主任研究官の下平拓哉氏の『日本の安全保障』（成文堂、2018年）に詳しく述べられていますが、対艦弾道ミサイルの配備等による中国の特異な構え、いわば「海を制するために陸を使う」手法にどう対抗するかという問題です。一方の中国としては、1950年の朝鮮戦争にあたって、アメリカこそが第7艦隊を派遣して台湾海峡の封鎖を行った国との認識を持っているはずです。毛里和子・増田弘監訳『周恩来 キッシンジャー機密会談録』（岩波書店、2004年）は、頭脳自慢だったはずのキッシンジャーが子どもに見えてくるほど、交渉時の周恩来（チョウエンライ）の切り返しの鋭さが光る本ですが、1971年当時、周恩来はアメリカとの間で台湾問題を語る際には必ず、50年6月の朝鮮戦争勃発時のトルーマン大統領が取った行動を非難する発言から入っています。

中国が主張する「一つの中国」原則については、アメリカ側は「一つの中国」政策といい、日本側は「72年体制」という言葉を用いて、きわめてテクニカルな外交用語で支持を与えてきました。それはどういうことかというと、日本は1972年の日中共同声明中で[*7]、「台湾は中華人民共和国の一部」だという中国側の主張に対して、「ポツダム宣言第8項に基づく立場」

から「十分理解し、尊重」すると述べています。ポツダム宣言第8項とは、1943年の「カイロ宣言[*8]」の履行ということであって、つまり、日本が日清戦争の結果、植民地とした台湾を中国のもとに返すという内容でした。台湾を中国の一部だと認める含意は、1972年時点での認識というよりは、1943年の英米中三首脳会談で決められたカイロ宣言を受け入れたという日本の立場を意味していました。

杉田　日本の外務省や一部の学者は、72年の日中共同声明における「十分理解し、尊重」とは中国の立場を聞きおいただけで、日本は台湾の帰属については態度を留保しているなどと主張していますが、用語の使い方からしても無理がありますよね。

さらに、ここであえて素人考えを述べると、中国にとっての「一つの中国」原則というのは、一種の両義性を持っているように思います。一方では、「一つの中国」なのに台湾に独自の政府があるのはおかしいので、武力を使ってでも統合するという話にもつながりうる。しかし、他方では、すでに台湾も中国の一部なので、何もわざわざ現状変更をする必要はない、という論理も潜在的にはそこからは出てきうるわけです。台湾有事になるのか、それともならないのか。どちらになるのかわからないけれども、現状が相当長期的に続き、その間に中国も民主化の方向に進んでいくという可能性もないわけではないように思います。あらゆる専門家の予測にも反して、ロシアがウクライナに侵攻したことを考えると、同じく「権威主義」体制とされる中国への警戒感が強まるのは当然ですが。

長谷部　アイルランドは、長年にわたってアイルランド全島がアイルランドの領土だと主張し、憲法でもそう規定していましたが、１９９８年にイギリスとの「ベルファスト合意」で北アイルランドの領有権を放棄し、長く続いていた紛争を収めました。[*9]『ハムレット』の中でローゼンクランツが言っているように、「世界は素直になってきた」ということでしょう。誰でも殺し合いは嫌なはずですから。もっともハムレットは、「だとすればこの世の終わりも近いということだ」と応じていますが。

＊7　日中共同声明：1972年9月29日、田中角栄首相と中国の周恩来首相が北京で調印した国交正常化のための共同声明で、両国は「恒久的な平和友好関係を確立する」ことに合意した。日本はそれまで国交があった台湾との関係を解消し、中国は日本に対する戦争賠償の請求を放棄した。

＊8　カイロ宣言：第二次大戦中の１９４３年12月1日、米国のルーズヴェルト、英国のチャーチル、中華民国の蒋介石がエジプトのカイロで協議した対日軍事方針が発表された。3国は日本に対して何らの領土的要求も持たないが、日本には無条件降伏を要求する、とした。第一次大戦以降に日本が取得した太平洋の島嶼は元の状態に戻されること、満州・台湾・澎湖諸島は中華民国に返還されること、朝鮮の自由と独立についてなどが書き込まれた。

＊9　北アイルランド紛争：１９３７年に英国からアイルランドが独立。英国に残った北アイルランドでは、英国の統治を望むプロテスタント系住民と、アイルランドとの統一を求めるカトリック系住民が対立した。60年代後半に始まったテロなどで、3千人を超える犠牲者が出た。98年のベルファスト合意により包括和平が成立した。

加藤　台湾が問題化すればするほど問題の所在もどんどん顕在化しますね。中国も、むろんそういう状況は避けたいはずです。

杉田　ちなみに日本政府は学習指導要領などを通じて、尖閣諸島などについても、わざわざ「固有の領土」であることを教科書などで強調させています。ロシアに実効支配されている北方領土とか、韓国に実効支配されている竹島についてならともかく、日本が実効支配しているところについてわざわざそう言わせるのはおかしな話です。我々は「北海道、九州は固有の領土だ」などと言わないですよね。自明だからです。わざわざ言うと、かえって、争う余地があるかのような印象になる。同じようなことは、「一つの中国」論をめぐっても言えるはずです。

加藤　先にもちょっと述べましたが、１９７２年の日中国交正常化交渉の時、田中角栄首相は「ポツダム宣言に基づく立場を堅持する」との文言を入れることで、周恩来首相と妥結しました。もともと交渉の序盤の晩餐会で周恩来は、田中が「過去に中国国民に多大なご迷惑をおかけしたことを深く反省します」と挨拶をしたことに激怒していました。「ご迷惑」とは何だと。同行した大平正芳（まさよし）外相は、今回の交渉は決裂するかもしれないと暗い気持ちになったのに、田中は、言葉に怒る人は言葉で説得できると確信していたといいます。この辺は、田中ならではの政治センスがあったのでしょう。実際、田中の直感は間違っていなかった。

台湾問題を論じる時には、杉田さんがおっしゃったように、その効果を考えて矛盾のない言葉づかいをしていかないといけないでしょうね。対中国だけでなく、対改憲派という意味でも……。

日本の安全保障環境は危機なのか

長谷部　それにしても日本の安全保障環境が厳しさを増しているというのは、何を根拠にしているのでしょうか。国際的シンクタンク「経済平和研究所（ＩＥＰ）」が２０２１年に発表した「グローバルピースインデックス（世界平和指数）」によると、日本の安全度は世界で12位。ウクライナは１４２位、ロシアは１５４位。１位はアイスランド、２位はニュージーランドです。

杉田　元自衛隊の陸将がウクライナでの事態をきっかけに「日本には戦車が少なく、韓国より少ない」と言って煽ったりするわけです。島国なので、戦車が少ないのは当たり前ですが。安全保障の危機を盛んに言っている人ほど、こうした現実を見ていないのではないでしょうか。

長谷部　それを言うなら、まず原発をどうにかしないと。本当に日本の危険というものを考えているのでしょうか。

杉田　チェルノブイリ原発が攻撃されたら、みんな急に「日本は大丈夫か」と言い出して、国会でも議論していましたが、続きませんでした。原発推進派は、リスクについては見ないふりをすれば済む、と思っているようです。

加藤　今回のことは日本人にとってやはり他人事なのでしょう。じつは恐怖をあまり感じていないように思います。

杉田　リスクをまともに考えたら、まずは近隣国との関係を悪化させないこと。どの国にも近隣国はあります。近隣国との関係が極度に悪化する中で、極度に問題のある為政者が出てくると今回のような事態が起きる、ということですね。やはり外交が重要であり、すでに存在しているリスクをどう減らすかでしょう。それが今回の事態から引き出されるべき最大の教訓ではないでしょうか。

何が世の中を動かすのか

長谷部恭男

ウクライナをめぐる鼎談からわかることの一つは、この紛争が国家と戦争をめぐる古典的な論点を浮き彫りにしていることです。グロティウス、ホッブズ、ルソー、カント、ヘーゲルなどの提示した思考の枠組みが、ロシア、ウクライナ、そして西側諸国の行動の背景に透けて見えます。

ジョン・メイナード・ケインズが『雇用、利子および貨幣の一般理論』の末尾で指摘しているように、世の中を動かしているのは、既得権益ではなく思想です。思想は意識されることなく人々の思考を徐々に侵食します。過去の思想を学ぶことは、われわれ自身が何にとらわれているかを知ることでもあります。

ロンドン大学キングス・コレッジ名誉教授にローレンス・フリードマンという戦争学の大家がいます。2022年9月に刊行した*Command: The Politics of Military Operations from Korea to Ukraine*（Oxford University Press）の中で、彼は、ロシアのウクライナ侵攻にいたる経緯を描いています。

2014年7月、アムステルダムからクアラルンプールに向かうマレーシア航空MH17便が、ロシア製のブークミサイルで撃墜され、乗員・乗客298名の命が失われました。ドンバス地方の分離独立を図る武装組織の犯行と見られています。オランダの検察当局は4人の容疑者を国際手配しましたが、そのうちの3人――セルゲイ・ドゥビンスキ、オレグ・プラートフ、イーゴリ・ギルキン――はロシアの退役軍人です。ギルキンはドンバス地方の武装勢力を組織した人物で、残る2人は彼の手下です。その後、ギルキンはロシアに戻ってプーチンを弱腰だと批判し続けています。

この地でウクライナ軍と戦うロシア軍正規兵は「休暇兵」と呼ばれていました。休暇中にドンバスにやってきて「ボランティア」として戦っているというわけです。2022年2月に開始されたあからさまな軍事侵攻は「特別軍事作戦」と呼ばれ、プーチンはその目的を「ウクライナの非武装化と非ナチ化、およびロシア市民を含む非戦闘員に対する数多の残虐な犯罪の下手人を裁判にかけるため」だと宣言しました。「ナチ」とはつまるところ、ウクライナは独立国家だとする人々のことです。おそるべき論理の倒錯を示しています。プーチンのやることなすことが、全ウクライナをロシアの勢力下に置くという彼のそもそもの目的達成をますます遠ざけています。

フリードマンは、ロシア軍の拙劣・無能さの背景に、権威主義体制ならではの問題があると指摘しています。指導者は自身の叡知と洞察力に自信満々で、周囲にはおべっか遣いのイエスマンしかおらず、専門的観点から指導者を批判する者は退けられます。指導者には自分の聞きたい意見や情報しか伝わらないわけです。日本もそうでなければよいのですが。

これから行われる鼎談のトピックの一つは、宗教と政治の関係です。多様な価値観の公平な共存を目指して政治権力を法によって統制しようとする近代立憲主義は、16世紀から17世紀にかけて、宗教改革後の宗派間の激烈な対立が血なまぐさい戦争をもたらしたヨーロッパで生まれた考え方です。

「正しい信仰」が何かよりも、信仰の如何にかかわらず、この世で人間らしい生活を営むことを可能とする政治的・社会的安定性をいかにして構築するかが、ジャン・ボダンやトマス・ホッブズといった、絶対王政の擁護者と目される思想家たちの課題でした。もっとも彼らが実際、どこまで絶対王政の擁護者と言えるかは別の話です。少なくともボダンは、主権者自らが直接に主権を行使するのは危険だと指摘しています。統一的政治権力が樹立されてはじめて、権力をいかに統制するかという近代立憲主義のプロジェクトに取りかかることも可能となります。

政治と宗教の関わり方は、今も変わらず、世界各国の政府を悩ませています。

第5章
歴代最長政権と宗教

安倍元首相の国葬をめぐって

加藤　岸田内閣は2022年7月22日、安倍晋三元首相の国葬を9月27日に行うと閣議決定しました。理由に「憲政史上最長の8年8カ月にわたって首相を務めたこと」「国内外から幅広い哀悼・追悼の意が寄せられていること」などを挙げました。

杉田　7月8日の安倍元首相銃撃事件からわずか6日後、岸田首相はきちんとした説明もなしに国葬実施を表明しました。この国葬をめぐっては、世論が二分されました。事件から時間がたつにつれ、ほとんどの世論調査でも反対が過半数を超えるようになっています。

加藤　「戦前期には国葬の規定があったが、今はそういう法律がなく国葬には反対」という批判が多数挙がりました。事実、戦前の「国葬令」は1947年に廃止されています。そのため政府は、内閣府設置法（第4条3項33号「国の儀式並びに内閣の行う儀式及び行事に関する事務に関すること」）を法的根拠に挙げました。

長谷部　内閣府設置法のその規定は内閣府の所掌事務を定めているだけです。政府への権限付与規定ではないので、法律の根拠にはなりません。「国の儀式」を行うことが決まったら、その事務に関する事柄は内閣府が担当すると言っているだけですから、内閣だけで国葬を決定できる根拠にはならないでしょう。しかし、そもそも国葬は法律の根拠がないとできないのか、という問題は残ります。

加藤　そこですね。

長谷部　国民の自由や権利を制限するためには、法律の根拠が求められるという「侵害留保説」の立場では、国葬は国民の権利義務に直接関わるものではないので、法律の根拠は必要ないということになりそうです。ただ、日本を含めて現在各国で有力になっている「重要事項法理」という考え方があります。国政に関わる重要事項であれば、国民の代表たる国会による審議と決定を必要とするというものです。たとえば、日本に対する武力攻撃に対処するための自衛隊の出動については、国会の承認を必要とします（自衛隊法76条）。これも重要事項法理で説明がつきます。

加藤　では、国葬も閣議決定ではできない、国会の審議と議決が必要だと。

長谷部　重要事項であれば閣議決定だけではできません。つまり、国葬が重要事項かどうか、そこのせめぎ合いです。国葬は戦後、１９６７年10月に行われた吉田茂元首相の一度しかありません。常識的に考えると、やはり重要事項でしょう。逆に言うと、国会の決定は不要だと押し切ると、国葬は重要事項ではないと言っていることになってしまいます。

加藤　杉田さんはどう見ているんですか。

杉田　私は実は、国葬なるものをやりたいならご勝手に、ということで、あまり問題にしないという自由主義的な対応もあり得るかな、とは思っています。冷淡な反応をする人々が多ければ、安倍政権への評価が割れていることが明るみに出る。そうなれば、保守の最後の「アイドル」であった安倍さんを失った保守の側の焦りが表面化することでしょう。もちろん、それは、国民に哀悼を強制したりしない、という前提のことですが。学校で黙禱させるとか、そんなことは絶対に容認できません。

長谷部　憲法学的に言っても当然そうです。故人を悼むかどうかは、個々人が決める問題ですから。人の内心は、政府を含めて誰もコントロールできません。思想・信条の自由以前の問題です。

杉田　もう一つの問題として、そもそも首相という存在について国葬を行うのが適切か、という問題は残ります。代表民主政における首相とは、主権者である国民によって行政権の執行を委任された、いわば「管理人」であって、国民の「上」にいるわけではありません。これに対し、日本の国葬というものは、もともと、天皇と、天皇によく仕えたとされる人について行うということで、君主政的な「上下」関係を前提としていた。だからこそ、戦後すぐに国葬令が廃止されたわけですし、吉田茂元首相の国葬の時にも、反対論は根強かった。「管理人」を長く務めたからといって、国民こぞってその死を悼むべきだというのは、代表民主政の本質について、間違った理解を広める危険性があると思います。

安倍晋三と山本五十六

加藤　国葬の歴史を振り返りますと、連合艦隊司令長官としてハワイ真珠湾攻撃の作戦を立案した山本五十六の国葬が、1943年6月に行われています。42年6月のミッドウェー海戦[*1]での敗北や43年2月のガダルカナル島の戦い[*2]での撤退開始を機に、日本軍の指導部はこの戦争が「負け戦」になる可能性もあると気付き始めた。そのような中で、43年4月、戦勝の守り神のような存在であった山本が、ソロモン群島上空で、アメリカ軍機の攻撃を受けて戦死する。米軍は山本の搭乗機を割り出していたわけです。軍の指導者層としては、山本を失った国民の不安感が増大してしまうか、あるいは、これを機に国民の抗戦意識を一つにまとめ上げられるかの分岐点ですから、外相に重光葵（しげみつまもる）を起用して内閣改造を図ったり、思想統制の一層の厳格化を

＊1　ミッドウェー海戦：1942年6月5日から7日になされた、中部太平洋ミッドウェー島沖での日米両海軍の機動部隊による海戦。アメリカ軍による暗号解読などによって、日本軍の作戦意図は筒抜けとなっており、空母4隻、航空機300機近くを失った日本側は大打撃を被り、戦局の転機となった。

＊2　ガダルカナル島の戦い：1942年8月から半年間、ソロモン諸島ガダルカナル島をめぐって日米間で行われた戦い。日本軍は制空権を奪えず、輸送船による食料や武器弾薬の補給が十分にできないまま戦闘を続けた。日本軍が投入した約3万人のうち約2万人が死亡。多くが餓死か病死とされている。

図ったりする一方、国葬の儀礼的な壮麗化も進める。山本の国葬は、緊張感をはらんだ、歴史の一つのターニングポイントとしてとらえることもできます。

安倍さんの場合はどうか。産業の衰退や先進国で唯一賃金が上がらないなど、今の日本経済の先行きは非常に暗いですね。国民はこれから先、日本が経済的に落ちていく様を目の当たりにしていくことになるはずです。それは右派や「ネトウヨ」と言われる人々にとっては、耐えがたい事態でしょう。「安倍さんが亡くなってしまったから、日本の衰退は決定的となった」「安倍を批判する勢力が騒ぎすぎたことで、このような銃撃事件につながった」といったネット上のコメントもありました。

つまり、安倍さんの国葬をめぐっては、山本五十六の国葬の時と似た、ある種の「せめぎ合い」が日本の中に起こるのではないでしょうか。山本の時のような、「負け戦」のターニングポイントとなるのか否かといった「せめぎ合い」と同じく、安倍さんの死を「日本の決定的な衰退」のターニングポイントとして位置づける見方も出てくるでしょう。

言うまでもなく日本の政治的・経済的な衰退は、１９９０年代の行政改革などの失敗の帰結です。それこそ「失われた30年」の歴史がある。そこを見ないで、安倍さんという一個の政治家の存否に意味を持たせすぎては危うい。安倍さんの政策に対して正当な政治批判を加えてきた言論や報道を、テロを誘発する言論であり報道だとして抑圧したい勢力を利してしまう。

杉田　新潟・佐渡島の佐渡金山の世界遺産登録に関して、政府がユネスコに出した推薦書に「書類の不備」が指摘され、2022年7月に却下され再提出を求められました。水路の一部が土砂崩れで途切れており、その説明が不十分と指摘されたというのですが、本当は、そもそも佐渡金山が世界遺産に値するものかどうか疑われている、ということではないでしょうか。安倍さんを例外的に国葬扱いにすることについても、岸田首相らはその必要性を説明していませんが、それは単に説明しないということなのか、それとも、説明する根拠がない、ということなのか。

佐渡金山等が世界遺産になることで、「日本スゴイ」と思いたい人たちの心が満たされる面はあるのでしょう。安倍さんの国葬も同じで、世界各国から首脳級の弔問客がもし来てくれたら、実態は三流国でも「日本はまだスゴイ」と思える。今の日本はそういう世界から認められていると錯覚させるような出来事をよすがにして、失われていくプライドを何とか守ろうとしている。しかし、こうしたプライドの満たし方は、やはり不健全でしょう。

長谷部　山本五十六の国葬の頃は、日本にはヘーゲルの言う「フォルクスガイスト（民族精神）」がありました。みんな一丸、一億火の玉となって何としてもこの戦争を勝ち抜かなければならないと。しかし、戦争に負けて、そうしたフォルクスガイストはなくなったんですね。

戦後は、みんな平等で、個人一人一人が尊重され、物事の善し悪しも各自で判断する世の中になった。これは、ヘーゲルが『法の哲学』の序文で「ミネルヴァのふくろうは黄昏になって飛び立つ」と言ったように、いわゆる歴史の終着点です。つまり、今の日本はもう真夜中、闇夜の状態です。変革も発展ももはやなく、偉人も英雄も現れない。だから、佐渡金山であろうが安倍さんの国葬であろうが、それぞれが小さなプライドを満たしていくしかない。そういう状況でしょう。

日本人はこの種の問題については、周りに合わせて同じように行動するのが大人の態度だという対応をしがちですが、安倍さんはいろいろな分断線を社会の中に引くことで、こうしたコンセンサスに基づく生活様式を壊そうとした人です。その人の葬儀の仕方について国民みんなが納得するようにと言っても簡単ではないでしょう。

拙速な決定の痛手

加藤　2020年10月に行われた中曽根康弘元首相の内閣・自民党合同葬では、会場のグランドプリンスホテル新高輪の入り口に自衛隊員が正装で、いわゆる特別儀仗（ぎじょう）隊がずらりと並びましたが、その様子はほとんど映像というかたちでは報道されませんでした。ある意味、顕然化させたくない意図は明確にあったと思います。この写真を配信していたのはフリーランスの記者でした。

安倍さんの国葬でもそうなるのかどうか。「制服」で身を固めた人々による、様式化された動作が映像として強調されていくのかどうか、個人的にはそこに注目していました。しかも、安倍さんの家族葬に儀仗隊が参列したという報道が一部ありました。実際に中曽根さんの時のように隠蔽しなかった。それは、内閣側が国民をどう捉えているかという点で一歩進んだ証拠となり、よくない兆候です。

杉田　たとえば、1959～69年にフランス大統領を務め、軍人でもあったシャルル・ド・ゴールは「国葬は不要」だと遺言に残したけれども、政府が追悼式というかたちで国葬を行いました。先ほどのフォルクスガイストの消滅、あるいは歴史の終着点という点で、長谷部さんはどう考えますか。

長谷部　フランスは18世紀末からのフランス革命とナポレオンの時代が国家としての頂点でしょう。ド・ゴールの時には、今の日本と同様に真っ暗闇です。一国の民族精神は、一度失われるとよみがえりません。ド・ゴールは英雄のふりをしていたけれども、結局大きな功績は残せなかったのではないか。

加藤　「安倍さんの遺志を継いで憲法改正だ」と叫ぶ人たちがいます。岸田首相もどこまで本気かわかりませんが、改憲については「安倍さんの思いを引き継ぐ」と表明しました。

長谷部　今後も安倍派が現在の勢力を維持できれば安倍さんの「遺志」も効くのでしょうが、

今後どうなるかはわかりません。ただ、改正へ動き出したら、日本をよりよい国にするための効果ある対案を出すことも考える必要があるでしょう。私の対案は憲法50条が定めている「国会議員の不逮捕特権」の廃止です。今の世の中で国会議員だけにこんな特権を与える根拠は乏しいでしょう。身を切る改革にもなります。まずはここから提起します。

杉田　岸田首相は国葬を拙速に決めました。その後、自民党と旧統一教会との話題が出てきて、岸田首相が考えていたほど、国葬への支持が集まらなかった。日本維新の会が、国葬自体には賛成としながらも、当初約2・5億円とされた実施費用（その後、16・6億円に修正）について説明を求めたことも大きかったでしょう。共産党がいくら反対しても効かないけれども、自民党の補完政党のような立ち位置にいる維新が注文をつけたとなると、税金の使い道にはうるさい一般の人々も反対に回る。

いずれにしろ世論の過半数が反対する中での強行は、岸田政権にとって大きな痛手です。

「民主主義の危機」なのか

杉田　安倍元首相の銃撃事件を受けて、様々な識者が談話を寄せましたが、私が少し気になったのは、「民主主義の危機」との指摘が多かったことです。私はむしろ、これを「民主主義の危機」にしてはいけない、そうならないようにしなければならない、と言いたい。どんな歴史的な出来事についても言えることですが、事件の意味は、事件そのものによって決まるのではなく、人々がそれをどう受け止めるかによって決まります。もしも、この事件をきっかけに、安倍政治への批判的言説がテロに結び付いたなどとされて、自由な言論が抑圧され、人々が萎縮して政治的な批判を控えるとか、そうした流れに向かえば、結果的に、今度の事件が民主主義の危機を招いたことになる。しかしそうならないのであれば、別に民主主義の危機ではないということになるわけです。安易に「民主主義の危機」と決めつけてしまうことで、むしろそれが実現してしまう可能性があります。

加藤　同感ですね。

杉田　選挙運動中に政治家が凶弾に倒れたとして、犯人の動機が選挙演説を止めたい、あるいは政治活動を止めたいという理由であれば、確かに民主主義の危機です。しかし、例えば恋愛関係のもつれなど、個人的な理由で政治家が襲われたような場合は、それは民主主義の危機とは言えないでしょう。今回の犯人については微妙で、安倍さんの政治活動そのものへの批判ではなく、安倍さんと強い関係を持つ特定の宗教団体が彼の家族に与えた被害への恨みということのようなので、なかなか扱いが難しいですが。

長谷部　容疑者の母親が旧統一教会（世界平和統一家庭連合）に多額の献金をした結果、自己破産し家族がバラバラになった、と報道されています。「疎外されている個人を政治が救えなかった」という意味で民主主義の危機と言う人もいます。

杉田　２００８年に17人の死傷者を出した「秋葉原無差別殺傷事件」の犯人の死刑が、22年7月26日に執行されました。この事件の元死刑囚は、日々の生活でまさに疎外感を抱えていたと言われます。それでは、あの事件も民主主義の危機だったのでしょうか。

加藤　私もあまり話を広げないで考えるべきだと思います。民主主義の危機という前に、非正規雇用の問題、社会保障のあり方の問題として、もう少し生活の出口問題として捉えたい。ただ、旧統一教会への恨みが動機だと事件直後から報道されたことで、そこから政治と旧統一教会との関係が明るみに出ました。

杉田　特に自民党にとっては、都合が悪い理由ですね。

加藤　参議院選挙が終わるまで、日本の大手メディアは「特定の宗教団体」としか報じませんでしたが、次々と自民党を中心とする政治家との関係が明らかになって以降は、旧統一教会への追及一色となっています。22年8月に行われた内閣改造は、「旧統一教会隠し」だとも言われましたが、蓋を開ければ、新たに入閣した政治家にも旧統一教会と接点を持った人たちが複数いました。結局、内閣改造は何のためだったのか、国民にはまったく伝わらなかったでしょう。

杉田　もしも犯行の理由が安倍さんの政策や政治信条そのものへの批判であったとすれば、世論は全く別の方向に向かったでしょうね。先ほども指摘したように、政権への政治的批判を政治テロの「一歩手前」と見なすような論調が主流を占めて、野党はもちろん、知識人、言論人への言論抑圧が進行し、本当に「民主主義の危機」になったかもしれません。ところが、自民党と関係が深い宗教団体がからんでいるということになったので、安倍応援団のような人々も、矛先をどこに向けるべきか、右往左往しているようです。

加藤　選挙では若者の投票率の低さが長く指摘され続けています。しかし安倍さんの事件では、銃撃現場に行って供花したり、葬儀が行われた増上寺（ぞうじょうじ）の献花台に並んだりと、熱心な人たちも大勢いました。この対比をどう考えたらいいのか。直近の調査では若者の国葬支持率も下がってきてはいますが。一つの考えとしては、同じ場所で同じ時間を過ごしたという共時的体験を求める行動でしょうか。昭和33（1958）年の日本を描いた映画「ALWAYS 三丁目の夕日」の観られ方、あるいは1964年の東京オリンピックの影の部分を忘れつつ光の部分のみで懐かしむ感覚と似ているかもしれません。思い出の共有の一つであろうと。その意味でも、国葬を大袈裟にしないほうがいいという杉田さんに同感です。

また、安倍晋三という人物について考えた時、彼は虐殺や強姦の事実があった南京事件や、いわゆる従軍慰安婦問題について、日本軍の戦場での犯罪行為を歴史認識としては認めない立場でした。あるいは「女性活躍」などと、家族や女性、子どもについてきれい事を言いながら、「選択的夫婦別姓」などの権利要求は、「家族の絆の崩壊」を主張するコアな保守層の支持を背景に、突っぱね続けました。その点は旧統一教会や日本会議と、同じ方向を向いています。しかし、絶対に譲れない「家族」の在り方だったはずなのに、その家族にまつわる「恨み」によって、安倍さんは人生を終えた。

疎外された個人と国家

長谷部　先ほど述べた「疎外されている個人を政治が救えなかった」という点は、従来の憲法学の通念に対して反省を迫るところがあります。具体的には憲法14条1項「すべて国民は、法の下に平等であって、人種、信条、性別、社会的身分又は門地により、政治的、経済的又は社会的関係において、差別されない」という条文です。

憲法学界の通念は、そこで挙げられた「人種、信条、性別、社会的身分」といったものさしでレッテルを貼られる少数者は社会の偏見の対象になりがちで、民主的な政治のプロセスの中では、自らの権利や利益を実効的に守ることができない。だから、むしろ政治の過程から独立した裁判所が、少数者の権利や利益をきちんと守らなくてはいけない。そういう理論です。

ただ考えてみると、少数者といっても様々です。たとえば非正規労働者やシングルマザーなどの中には、日々の生活に精一杯で自分たちの権利や利益を民主的な政治のプロセスに働きかけられないという方たちがいるでしょう。けれども、「カルト」と呼ばれるような宗教団体のメンバーはどうか。「信条」によって強力に統制され、メンバー相互に監視が可能で、それを梃子にして政治のプロセスに極めて強く働きかけることができます。たとえば旧統一教会の日本における信者数は、実質10万人ほどと言われています。しかし、サイズに見合わないような政治的な力を発揮してきたのではないか。そうだとすると、たとえ少数者であっても「裁判所が救済しなくてはならない」とは言えないわけです。

杉田　宗教のかたちにもよりますよね。旧統一教会の他にも、公明党と密接な関係のある創価学会はもちろん、神社本庁系の「神道政治連盟」など、もろもろの宗教関連の友好団体を自民党は持っています。ただ、自民党の票集めとして機能する教団がある一方で、決してそうではない、結び付きの弱い教団もあるでしょう。

長谷部　資金を提供したり、票を集めたりといった、政治のプロセスにインパクトを与えられる程度の規模はもちろん必要でしょう。ただ、非正規労働者やシングルマザーで実際に困っている方々も相当数いて、それなりの大票田とも言えます。でも社会の中で孤立し分散しているために、お互いのネットワークが作れません。連絡も取れないし、相互にモニタリングもできない。そこが宗教団体と大きく違うところです。裁判所が救済に努めるべきなのは、むしろそうした人々ではないか。

20世紀のアメリカの経済学者マンサー・オルソンは、「サイズが大きくなればなるほど、むしろ集団に共通する利益実現のためのメンバーの協力が難しくなる。むしろコンパクトなほうがうまくいく」と論じています（依田博・森脇俊雅訳『集合行為論』ミネルヴァ書房、１９９６年）。現在の日本において、政治過程に入り込んでいる宗教団体のサイズを考えると、納得させられます。

杉田　ところで、憲法20条は信教の自由と政教分離、この両方を規定しています。国は信教の自由を保障すると同時に、特定の宗教に便宜を図ったりすることは禁じられています。突き詰めて言えば、信教の自由とは宗教団体を国家権力から守ることだし、政教分離とは政治を宗教団体の過剰な影響力から切り離すことですよね。

長谷部　政教分離の一つの側面としては、そうです。

杉田　そうであるとすると、憲法20条にはベクトルの違う二つのことが書かれている一方で、その間の関係をどう調整するかは特に記されていません。そこが以前から、私にはよくわからない点です。日本の場合、戦前に創価学会の初代会長の牧口常三郎（つねさぶろう）が治安維持法違反と不敬罪で検挙され、獄死するなど、宗教団体への弾圧が相次ぎました。

長谷部　神道系新宗教の「大本（おおもと）教」も大正時代と昭和初期の2度、不敬罪や治安維持法違反などで当局から激しい弾圧を受けていますね。

杉田　大正時代に立教された「ＰＬ教団」もそうです。昭和初期に、教育勅語などの解釈の違いを理由に、前身の教団が不敬罪で弾圧を受けました。ところが、こうした宗教と政治の関係はその後、どうなったかというと、むしろ多くの場合、権力との「癒着」の方向に向かっています。創価学会に関して言えば、自民党が一時期、これを激しく叩いたこともあり、こういう保守政党と対立していたのでは信教の自由を守れないのではないかと考え、逆にこれと連携して政権に加わることで弾圧を避けようとする方向に舵を切った。

戦前の経緯を考えれば、創価学会は、政治との距離を取り続けるような方向性もあったはずです。結局は政権側につくことで対立を回避した。これと同じような行動を他の宗教団体もしているのではないか。その一つが今回、表に出てきたということではないでしょうか。

政教分離と信教の自由

長谷部　政治と宗教の関係について、論点は三つあります。一つは宗教団体が民主的な政治過程に働きかけることについて。これは、日本と同じように政教分離の体制を取っているアメリカでもフランスでも普通に見られることですから、それ自体に何か問題があるわけではないでしょう。

二つ目は、戦前に宗教団体がしばしば弾圧されていたということ。それは宗教団体が、天皇の「競争相手」とみなされていたからです。政治思想史家の渡辺浩さんが『明治革命・性・文明――政治思想史の冒険』（東京大学出版会、２０２１年）で論じているように、伊藤博文らは、日本人には伝統的に市民宗教というものがないために、その代わりに樹立した天皇制を市民宗教にして、近代国家を形成しようとしました。天皇は、臣民として守るべき道徳の鑑だったわけです。だから天皇制の競争相手になるようなカリスマ性のある宗教指導者が現れると、政府としてはとても困る。その危険の芽を摘むために弾圧へと向かった。しかし戦後は、ＧＨＱ（連合国軍総司令部）の占領政策によって、主権は天皇から国民に移り、天皇も単なる象徴になりました。

三つ目は、信教の自由と政教分離との関係について。一般論で言うと、政教分離原則が信教の自由の確保につながることはもちろんあり得るわけで、最高裁は一貫して、そう判断しています。

ただ、２００７年6月の「空知太神社事件」札幌高裁判決を見ても、政教分離原則を貫くことが信教の自由に対して破壊的な効果をもたらす恐れはあります。

北海道砂川市が、神社が設置された市有地を無償貸与したことをめぐって争われた「空知太神社事件」の場合、札幌高裁は市有地にある鳥居や祠の撤去を求める判決を出しました。これは杉田さんがおっしゃるとおり、政教分離と信教の自由の、両方の原則の間での衝突です。神社がなくなってしまうと、氏子たちの信教の自由が大きく損なわれてしまう。

しかし、最高裁判所はこうした衝突が起きることをわかっていて、2010年1月の最高裁判決では市有地の無償提供について市側を違憲としながらも、鳥居や祠の撤去以外の違憲状態解消の方法を求めました。そもそも政教分離原則は「信教の自由の確保」のための制度だから、両者が衝突するときは、信教の自由が確保されるかたちでの解決を求めているわけです。結局は、相応の使用料を支払う代わりに神社は維持されることになりました。

杉田　政教分離原則を高度に発展させたフランスの場合は、かつてはほとんどカトリックしか有力宗教がなかった。カトリックの影響力があまりにも大きく、実際、フランス革命前は政治にも口を出されたので、革命後、政教分離（ライシテ）で「宗教から政治を守る」という方向になった。しかし、政党政治の中で、ある宗教が特定政党を支持したからといって、ただちには問題にならないですよね。もちろん旧統一教会の問題は追及するべきですが、政教分離の名のもとに、最近の議論は宗教弾圧に近い叩き方になっていないか、注意する視点も必要でしょう。

長谷部　これは第一の論点で、宗教団体が政治に働きかけること自体を否定するのは、間違っていると思います。

杉田　すると、政策に大きな影響を及ぼさない限り、自民党議員の票を集めたり、選挙活動を手伝ったりする程度は問題ないということですか。

長谷部　そこから先は、問題のあるやり方でお金を集めていたり、マインドコントロールをしていたりといった、旧統一教会の団体としての「個性の問題」になります。それに、外国に本拠を置く教団の日本法人から、政治資金の提供や票のとりまとめ、人員の派遣などの援助を受けていることも問題です。政治資金規正法は外国人や外国法人の政治資金の提供を禁止しています（22条の5）。経済安保の前に「政治安保」はどうなっているのかという点も注視すべきでしょう。

杉田　カトリックもバチカンに本拠がありますよね。

長谷部　少なくとも20世紀はじめまでのヨーロッパでは、政府の転覆を唆しかねない勢力として、カトリックは各国で警戒されていました。日本の政党も、国外の勢力に対する警戒感は持ってしかるべきだと思います。外国人や外国法人から政治活動をするための資金提供を受けてはならないのは、各国共通の原則です。

ただ、聖職者のヒエラルキーに基づいて「信仰の正しさ」について、外国の本部から指令が下される宗教団体かどうかを判断する必要があります。たとえば、カトリックは普通、ローマ教皇を教会の頂点とします。しかし、17世紀のフランスの神学者、ジャック・ベニーニュ＝ボシュエが指導したフランスのカトリック教会のように、世俗の事柄に関する教皇の権威を〝否定する〟という立場もあります。

いずれにしても、現状では宗教団体の政治活動への組織的参加が法令で禁止されているわけではありません。宗教団体から「選挙を手伝う」「政治資金を提供する」などの申し出があったときは、個々の政治家が申し出を受けてよい団体かどうかを、慎重に吟味する必要があります。

杉田　旧統一教会の問題に関して、政権側にいる創価学会は嵐が過ぎるのを待っているような印象です。創価学会などの団体も、旧統一教会のようなやり方ではないものの、相当献金を集めているようですからね。

長谷部　献金を勧める宗教団体は珍しくありませんが、ただ、今回の旧統一教会の事案を宗教と政治一般の問題として扱うべきではないでしょう。一般論として、首相や大臣、副大臣等がある宗教団体の会合に出席して挨拶をしたり、ビデオメッセージを送ったりすることは、当の特定の宗教団体を「後押し（エンドース）」していることになり、政教分離原則に違反するのではないかとの議論があります。アメリカの憲法判例では、政府が特定の宗教を後援したり、否定的に評価したりすることは、社会の分断を招くことになり、政教分離原則違反になるとの見解が示されています。これは日本でも、愛媛玉串料訴訟[*3]最高裁判決での法廷意見が採用している考え方です。

これに対して、与党の政治家が宗教団体の会合に出席して挨拶をしたり、ビデオメッセージを送ったりすることが、このエンドースメント・テストに反するかですが、明確に違背するとまでは言いにくいように思われます。与党の政治家が公的立場を離れて、党人として行動しているのであれば、国家や公権力として当該宗教団体を後押ししているとは言いにくいという見解もあり得るでしょう。その宗教団体の会合だけで挨拶しており、一般公衆に対して当該宗教団体が「立派な宗教団体」であると主張しているわけではないとすればなおさらです。

杉田　ここまでの議論をふまえると、旧統一教会と政治との間の不適切な関係は追及されるべきだが、創価学会も含めて「政治活動に宗教が絡むこと自体、間違っている」といった批判はおかしいということですよね。しかも日本の場合は、もともと自分たちは宗教性がないと思っている人が多く、宗教に対する偏見や忌避意識があるために、そういう議論に傾きやすい。

加藤　旧統一教会に対して、今のところ主に批判されているのは、非理不法な手段による献金集めですね。そして自らの身分を明かさないことを通じた勧誘です。ただ、韓鶴子(ハンハクチャ)・世界平和統一家庭連合総裁などの考え方によれば、昭和天皇は戦前期に日本が犯した罪に対してひざまずき、謝罪すべきなのだ、といった主張をしています。戦前期の日本が、韓国を植民地支配していたことに対しての、「抗日的」な教義も旧統一教会の中には存在する。それに対する反発が日本で広がってくると、宗教弾圧的な色合いも濃くなってくるかもしれません。

杉田　自民党政治家の中には、旧統一教会と自民党との関係について「何が問題なのか、わからない」と居直った発言をする人もいましたが、他方で「この際、韓国の宗教とは手を切ったほうがいい」とする人もいます。あまりにナショナリズム的、排外主義的に「韓国の宗教だからダメだ」といった排除の方向が強く出てくると、それはそれで問題です。

長谷部 ただ、韓国に限らず外国に本拠を置く宗教団体が、日本の政治過程にひそかに食い込んでくるのは、やはり問題があるでしょう。そこは押さえておくべき点だと思います。それから、カルト集団については、フランスの2001年の規制立法が引き合いに出されることがありますが、どんな事案で適用されるのかあいまいだという批判も強い法律です（Rémy Cabrillac ed, *Libertés et droits fondamentaux* (Dalloz 2019) section 559 [Jacques Robert]）。フランスの社会が日本と違って、新興宗教全般に対して厳しい態度をとっている点も背景として考慮する必要があります。あわてて飛びつかないほうがよさそうです。

＊3 **愛媛玉串料訴訟**：愛媛県が靖国神社に納めた玉串料などを公費負担したことが憲法の政教分離原則に違反するかどうかが争われ、愛媛県が敗訴した行政訴訟。最高裁大法廷が1997年、憲法上の「政教分離」をめぐって初の違憲判決を出した。国や地方自治体の宗教との関わり方に大きな影響を及ぼした。

第6章
時代の分岐点

この国はどこに向かうのか

加藤　戦前、犬養毅(いぬかいつよし)首相が海軍の青年将校によって殺された1932年の五・一五事件[*1]、斎藤実(まこと)内大臣、高橋是清(これきよ)蔵相（いずれも首相経験者）らが陸軍の青年将校によって殺された1936年の二・二六事件[*2]は、揺らいでいた政党政治が維持されるか復活するのか、それとも日本が対外侵略に向かうのかという双方への期待と不安がせめぎ合っている、いわば「狭間の時代」に起こりました。

20世紀のイギリスの歴史家トインビーは、1914年に世界大戦が起きた時、当時の欧州諸国の対立の構図がペロポネソス戦争と同じだと気づきます[*3]。自分が観ている世界は、トゥーキュディデースが既に観ているのだと。それが「我々は歴史の中にいる」という感覚ですが、その伝で言えば、安倍元首相が殺害され旧統一教会と政治との関係が明るみに出て、政治と宗教団体との不適切な関係に焦点が当たったことで、今日の政治を、1930年代の政治の相似形としても理解しうるのではないかと思いました。つまり、この国はこれからどこに向かうのか、という大事な岐路に今、立たされているのではないでしょうか。

杉田　東京オリンピックにまつわる「裏金」（大会組織委員会の電通出身の元理事とAOKIホールディングス創業者の前会長などの贈収賄事件）の問題も出てきました。

長谷部　政権与党を担う自民党の負の側面が見えてきて、今が転換点になり得るというのは、おっしゃるとおりでしょう。

杉田　２０２２年7月の参議院選挙は、不幸にもその投票日の２日前に安倍元首相が銃撃されたことで、「弔い選挙」になるとの見方が強くありました。地滑り的に自民党が大勝すると多くが予測したわけです。しかし実際の自民党の獲得議席は、メディア各社による事前予測の上限程度にとどまりました。自民党の比例区の得票数を見てもそんなに増えていない。しかも全

＊1　**五・一五事件**：１９３２年5月15日、海軍青年将校、陸軍士官候補生、政治団体の塾生らが計画したテロの一環であり、当時の首相犬養毅を官邸で暗殺した事件。本来は同年2月の血盟団事件と一体のものとして計画されていた。31年に計画された陸軍のクーデター未遂事件である三月事件や十月事件、あるいは外国に対するクーデターとも位置づけられる満州事変を合理化するため、軍部や右翼は、農村の深刻な不況に対応できないものとして政党・財閥・宮中を攻撃していた。帝国議会で絶対多数を誇る立憲政友会総裁を殺害したことは、慣習的な二大政党制の機能不全を顕然化させた。

＊2　**二・二六事件**：１９３６年2月26日、陸軍の急進的青年将校が夜間演習と称して麾下の１４００人余の兵士を動員し、岡田啓介内閣の打倒、暫定内閣樹立を図ったクーデター。内大臣斎藤実、蔵相高橋是清、教育総監渡辺錠太郎が殺害され、陸軍省・新聞社も占拠されたが、厳罰方針で臨んだ昭和天皇と陸戦隊を準備した海軍上層部の連携もあって反乱軍は数日で鎮圧された。青年将校の思想的支柱とされた北一輝、西田税のほか、青年将校ら17人には軍法会議によって死刑判決が下された。軍法会議関係の史料は現在、国立公文書館で公開されている。

＊3　参照、蠟山政道「トインビー史学と現代の課題」『世界の名著　73　トインビー』（中央公論社、１９７９年）16頁。

体の投票率は52％で、前回19年の参院選と比べても3ポイントほど上がっただけです。

加藤 投票率が上がらないのは、なぜでしょうか。

杉田 よくわからないところはありますが、今回の参院選は期日前投票がすでに20％ほどあり、事件前にはすでに投票を済ませていた有権者が多かったことも、影響したのかもしれません。

それにしても、近年の国政選挙の票の推移を見ると、ほとんど「動き」が見られません。自民党に投票する人は何があっても常に自民党に入れる、という傾向があり固定化しています。ただ、その中で少しずつ共産党が票を減らし、立憲民主党も明らかに票を減らしている。21年の衆院選で躍進した日本維新の会は、今回の参院選では思ったよりも伸びなかった。自民党の票が維新に少し流れている傾向もあったのですが、今回は保守票の一部が自民に戻ったと見る専門家もいます。

そして最大多数を占める、いわば日本の「第一党」ともいうべき無党派層は、今回も全く動いていない。あのような銃撃事件があっても、投票所に足を運ばなかった。つまり、無党派層が選挙に参加しなかったために、自民党の票も増えなかったのでしょう。

加藤 なぜそこまで固定化しているのでしょうか。

杉田 21年12月の「日経ビジネス」電子版に米ダートマス大学政治学部教授の堀内勇作さんの投票行動に関する研究が出ていたのですが[*4]、調査の時に、たとえば原発など論争的な争点について、野党の政策を「これが自民の政策です」として示したうえで、政党支持を尋ねると、自民支持層のある部分は、それでも自民を支持するということが書かれています。つまり、政策の中身ではなく自民党だから支持する、自民党というブランドに投票する人がかなりいる、というわけです。ここには、「みんなが投票している政党に入れておけば無難だろう」という「同調圧力」というか、日本人に特に強い心理がはたらいているかもしれません。「周りがマスクをしているから、とりあえずマスクをしておいたほうがいい」というのと同じことで、自分の意見というものがないのではないか。

それに加えて、選挙を「答え合わせ」のように考えている人たちも見受けられます。自分が入れた人が当選すれば自分の投票は「正答」、落選すれば「誤答」であったことになると考え、当選しそうな人に入れる。「自民党が勝つのは、自民が正しかったから」といった考え方も、ネット上でよく見かけます。

こういう「答え合わせ」的な発想というのは、政党政治を主軸とする我々の代表民主政の理解としては間違っています。政治においては、正しい考え方がいくつもある。そのどれかがよ

＊4　参照、堀内勇作「マニフェスト選挙を疑え：2021年総選挙の計量政治学」(「日経ビジネス」電子版、2021年12月8日)。

り正しくて、どれかは間違っているとは言い切れない。だからこそ、複数の勢力が戦い、とりあえず勝った勢力が権力行使を担いますが、それは、その勢力の考え方が正しい、ということを意味しません。制度上、どこかに任せなければならないから、とりあえず任せているだけであって、「正答」とか「誤答」とかの話ではありません。

日本の場合には、宗教間の対立など、根本的に考え方の違う人々の存在を日常的に意識する機会が少ないこともあり、「答え合わせ」的な発想にハマりやすいのかもしれませんが。また、実はルソーも『社会契約論』で、少数意見となった人々は、共同体全体の「一般意志」を誤解していたことを恥じるべきだ、などと言っており、「人民主権」論そのものに「答え合わせ」的な方向性があるかもしれません。

長谷部　ルソーのその辺りの話は、コンドルセ[*5]と同じですね。

加藤　結局、政策の論議をいくらやっても自民党には勝てないという話になりますね……。

杉田　自民党のブランド力への信頼は、野党のブランド力への低評価と表裏一体です。安倍さんがよく言っていた「悪夢のような民主党政権」というフレーズについて、自民党支持者に「何が悪夢だったのか」と聞いても、具体的な答えが返ってこない。

私は、日本が11年前に東日本大震災と原発事故という未曽有の災害と事故に遭い、心理的不安になった記憶と、当時政府として対応にあたった民主党への不信が重なったこと、それから民主党が実力者の小沢一郎氏をめぐって、小沢派と反小沢派で内紛を繰り返し混乱していたこと。その二つが大きいと見ています。

その後の自民党政権では、森友・加計・桜、統計改ざんなどいろいろな問題が起きました。森友問題では、公文書の改ざんまで起きた。にもかかわらず、「悪夢」にはならない。政策とかそういうレベルの問題ではなく、自民党は何か心理的な安心感のようなものを与えているのだと考えられます。

今の野党第一党の立憲民主党については、「共産党と選挙協力すべきか、それとも距離をとるべきか」「国民民主党や、支持母体の連合との関係をどうするか」などが言われていますよね。そういう課題が現実問題としてあるのだと思いますが、それが解決しても立憲が政権を取るほど支持率が上がることはないでしょう。今ほど取りこぼしがなくなるかという程度で、大きな話にはなりません。その意味では野党への支持も固定化していて、今後の展望が見えません。

加藤　長谷部さんは選挙についてどう見ていますか。

＊5　コンドルセの定理：フランス革命時のジロンド派の政治家で数学者でもあったコンドルセ侯爵が発見した定理。ある有権者集団の平均的な知的水準が、二つの選択肢のうち正解を選ぶ確率が2分の1を超えるものであった場合、いずれの選択肢が正しいかを決める投票に参加する有権者の数が多ければ多いほど、単純多数決の結論が正解を示す確率が高まるという定理。

長谷部　フランスは第五共和制になってから、右と左で政権交代をしてきたと思われていますよね。しかし、主要二大政党の一つの「社会党」は勢力を失う一方で、近年はマリーヌ・ルペン率いる極右の「国民連合」、極左「不屈のフランス」が急速に勢力を伸ばしています。その中でマクロン大統領は中道勢力をまとめて、何とか政権を維持しようとしている。第三共和制や第四共和制のときの政党状況に先祖返りしたかのようです。

さて、日本の政権政党の自民党はどうか。自民党は「一つの政党」だと思われていますが、本当にそうなのか、よくわからないところがあります。神聖ローマ帝国について、神聖でもローマ風でも帝国でもないと言われることがありますが、自民党もリベラルでもデモクラティックでもないし、果たしてパーティと言えるほど、政治家それぞれの志向が一致しているのか。むしろ、政権を維持することだけを目的に集まっている中道勢力と言えるでしょう。

安倍政権は、これまでの自民党政権と比較しても明らかに「右寄り」の特異な政権でした。安倍さんなき後、自民党が元の中道勢力の連合体に戻るのかどうか、これもある意味で分岐点ではないでしょうか。

日本の選挙制度と集団

杉田　1955年の保守合同による自民党の結党と社会党の左右統一によって確立した「55年

体制」以降、自民党内での総裁交代によって首相が決まることが多く、疑似政権交代とも言われてきました。しかし、今の長谷部さんのお話からすると、これは日本特有のことではなく、他国の政権交代もこれに近かったということにもなりますよね。私は、以前から日本の政治は55年体制以上に「ましな政治」にはならないと主張してきました。

加藤　同感です。じつは私、2年くらい前から「選挙」のデータ分析に興味を持つようになりました。その頃、大阪維新の会の大阪都構想の2回目の住民投票があり、結果は約1万7千票差で再び否決されました。テレビの開票速報などを見ていますと、維新の側は結果が出る直前まで、負けるとは思っていなかったようです。高級ホテルに大きな会見場を準備して最終結果が出るのを見守っていました。一方、反対した側の共産党・自民党は小さな会場で、テレビカメラも入っていないような状況で結果を待っていた。反対した側も自らの陣営が勝つとは考えていなかった。

住民投票とはいえ、選挙の「プロ」が双方の陣営にきちんと揃っていたとすれば、小規模な地区からの結果が早く出てきやすい開票速報の特徴なども熟知し、前回選挙の動向も考慮しつつ、最終的な結果を予測できていたはずですね。両陣営に、そのような人材が継続的に育成されていないのではないかと思ったことから興味を持ち始めました。選挙の票を読む技術が、政党の中で蓄積されていないのではないか。

22年7月の参院選の開票速報を見ていて感じたことは、複数候補から選べる「都市型」か、1人区となる「地方型」かで、投票する人々の感覚が大きく違ってくるということです。東京選挙区の改選定員は6議席でしたが、地方では1人区のところが全国に32と多くあります。つまり、野党共闘で統一候補を立てたとしても、組織票を積み上げてくる与党には勝てない。30万票の差をつけて与党候補が圧勝するような地方型の選挙区では、投票しても変わらないといって投票に行かない選択をするのは、ある意味で合理的なわけです。

一方で、複数人の候補者が当選する都市部では事情が違いました。東京都では共産党の山添拓さん、千葉県では立憲民主党の小西洋之さんが再選しました。特に山添さんは投票時間終了後直ちに当確が出た。いわゆる「ゼロ打ち」で当選が決まる。お二人とも国会での舌鋒が鋭く、論理的に政府に対抗し、それを表に発信できる。そのような政治家は都市部の選挙区では勝てるということです。

結局、人口が減少し、産業の空洞化が進む地方を抱える日本が、これからどのような選挙をやっていくのか。第2章でも論じましたが、選挙の枠組みから考え直さないといけないのではないかと改めて思います。

杉田　参議院選挙の1人区は、1人しか当選しないため、形のうえでは衆院選の小選挙区のようになっています。さらに、鳥取と島根、徳島と高知の選挙区は二つの県で定員1人の合同選挙区です。一方で、東京などの都市部の大選挙区は、比例代表的になっている。だから地方と大都市圏では、同じ選挙制度と言っても、実態は全然違うかたちになっているわけです。

これは、まさに選挙制度の問題なので変えることはできますよね。前述したように、比例代表だけにしたほうが、今よりも民意を反映できるのではないか。ただ、比例区でも自民党が強いので、野党が議席を伸ばすかはわかりません。

加藤　自民党は強いし、維新も強いですね。

杉田　それでも制度を変更することで、変化はあると思います。選挙をめぐっては、倍率という形でわかりやすい「一票の格差」の問題ばかりが言われ、先ほど加藤さんがおっしゃったように、自分の一票によって当選者が変わる可能性がそもそも地方ではほとんどない、またさらに弱くなってきているという大きな問題が見過ごされています。

加藤　ある県で自民党員として地道に選挙運動をやってきた知人がおりますが、比例は公明党とお書きくださいが口癖で、自公の協力で選挙区で勝つわけですね。第5章で長谷部さんが「サイズに見合わない政治力」とおっしゃいました。自民党とつながる宗教団体は、選挙結果という点では思わぬ貢献をしていることになりますね。政権与党に加わっている公明党の選挙で果たす意義など、国民はもう少し、選挙区ごとの足し算の意味に自覚的であってほしいです。

杉田　創価学会は８００万票持っているとも言われますが、実際は４００万票ぐらいでしょう。

それでも、自民党の生殺与奪を握っているとも言える。もっと小さな団体でも、比例票を集めて、特定の候補者を当選させる力があります。ただ、宗教団体に限らず、その他の利益団体や労働組合も、集票に結びつくという点では同じです。だから、政権与党と宗教とのつながりを批判しているよりも、野党も積極的に自分たちの集票団体をもっと作ればいいのではないか、という議論がありますが。

加藤 野党は、組織的な票割や選挙活動などテクニカルな部分に精通している「プロ」を集める余裕がないのかもしれない。そうしたプロを巻き込んで選挙を行って、僅差での勝利を積み上げていくことは難しいでしょうか。政治学者には、特にそういう議論をする人が多いですね。

杉田 ただし、第5章で長谷部さんも触れたように、宗教団体のような組織化しやすい集団と、非正規労働者のような組織化がしづらい集団があります。非正規の組織化も連合などは求められていますが、なかなかうまくいきません。

長谷部 信仰があるわけではないので、統制も取れない。

杉田 組織化している側が過剰な影響力を及ぼす一方で、組織化していない側は影響力が小さく、結局は投票の棄権の多さにもつながっているでしょう。投票しても、どうせ自分たちの利益は反映されないだろうと。

長谷部 現状では自民党以外の政党は、第2章でもお話ししたように「風」が吹かないと選挙に勝てない。

加藤　そこが長年、課題にもなっている点です。どうしたらいいんでしょう。

長谷部　カリスマ的なリーダーが現れないと難しいと思います。今の野党には、そのような人材が見当たらない。そういう属人的な理由も多分にあります。

少数政党の乱立

加藤　今回の参院選では、反グローバリズムを掲げる参政党が初めて議席を獲得し、NHK党もまた議席を確保しました。

杉田　いわゆるポピュリスト政党が、なぜ今の日本でここまで乱立しているのか。どの国にもポピュリスト政党はあるにせよ、今の日本ほど乱立しているのは珍しいです。もう少し、まとまりがある。

長谷部　NHK党は、選挙は「もうかるシステム」と断言していますね。立花孝志党首は「供託金を没収されても、政党助成金で返ってくる。より多く立候補する政党が、もうかるシステムになっている」と、朝日新聞の取材に答えています。

政党助成金は、「①国会議員5人以上、②国会議員1人以上、かつ直近の衆院選または過去2回の参院選のうち1回で2%以上の得票」のいずれかを満たすと交付されます。N党は19年参院選で3％を超え、22年は約2億1100万円を受け取っています。政党助成法を改めて、今よりも参入障壁を高くするというのも一つの考え方ではないか。

杉田　政党助成金は90年代の政治改革の過程で成立した制度です。日本では政治資金が個人献金で集まらないからと、いわば国が政党助成金を交付することで、政党を育成しようとしたわけです。当時は今日のように、少数政党が乱立するとは予測していませんでした。むしろ、小選挙区制の導入により、ある程度野党がまとまっていくだろうと、何となく考えていたはずです。日本では、選挙制度を変えて少数政党を不利にしても、そして政党助成金という形で、実績のある政党に財政的な下駄を履かすことをしても、それでも政党にまとまりができず、次々に粗製濫造（そせいらんぞう）される。これは一体、どういうことなのか。

加藤　長谷部さんは「参入障壁を高くしたほうがいい」とおっしゃいました。今の政党助成金の要件は、得票総数2％以上ですが、それを引き上げると。

長谷部　ドイツ連邦議会の阻止条項の類比で「5％以上」で良いのではないか。国民の立場からすると、自分の支持するわけでもない政党を税金で助成するのは本来おかしい、少なくとも国民のための政策形成にまっとうに貢献してくれそうな政党に助成対象を限定すべきだということになるでしょう。ただ、自民党は野党が乱立しているほうが都合がいいので、今の制度を改めることはしないでしょう。

加藤　野党に連携を持たせるという意味では、戦前期の政党政治家の動きなども参考にしたいですね。シベリア出兵[*6]に伴う物価騰貴から起こった各地の米騒動には、在郷軍人なども参加してしまう。その鎮圧に軍隊が出動すると同国民同士の相打ちになりますね。それを恐れた元老山県有朋が弱気になったところで、1918年、立憲政友会総裁の原敬に大命降下がなされると、原は一挙に政党内閣を組織する。当時の下馬評では、原がつくる内閣は、原と官僚閥のトップの連立、あるいは挙国一致内閣だと思われていました。まさか、軍部大臣と外務大臣以外は全部政党員で固めた本格的政党内閣があの時に出来るとは当時の人々は思っていなかった。原は、政友会と対立していた憲政会のトップ・加藤高明と面談し、外交政策での一致を標榜することで、二つの政党の間を分断しようと図る山県に対抗します。対外政策での一致ということと、双方の政党の内部で相手方と話せる政治家が数人揃っていたのが大きいですね。

このような過去の政党政治の遺産を見ていますと、政治家をいかに育てていくのかが今、問われていると思います。1970年代末に、松下電器産業の創業者・松下幸之助が設立した「松下政経塾」も、そうした「連携」を目指したのでしょうが、結局みんなバラバラになって

＊6　シベリア出兵：1918〜22年、ロシア革命への干渉を目的に、日・英・米・仏などがチェコスロバキア軍救出の名目でシベリアに出兵した。日本は兵力7万3千人と数億円（当時）の戦費を投入し、他国が20年に撤退後も単独駐留した。日本軍の死者は3千人以上と言われている。

いますよね。

小手先の政治改革

杉田　戦後の自民党政治の一党支配体制への批判が、90年代の政治改革につながりました。94年に「小選挙区比例代表並立制」を導入し、政権交代が可能な政治への転換を図ったわけです。それは、自民党一極の政治ではない、二極化の政治を目指したわけです。では、自民党とは別の極は、どういう対立軸をめぐって、どのような支持基盤の上に成り立つのか——結局、非常に抽象的にしか考えていなかった。

小選挙区制については、第2章でも論じましたが、そんなに簡単に自民党に対抗する極を作ることはできない。政党には、それなりの歴史的基盤が必要です。にもかかわらず、選挙制度を中選挙区から小選挙区に変えるといった小手先の改革で、政権交代が可能な政治に転換できると考えた。

小選挙区制では、第三党以下は生き残れないので、消えていくものとされています。しかし、それなら第二党は大丈夫なのか。この辺りが、昔から私にはわからなかった。先輩の政治学者たちは、皆、当然のようにそれを前提としていましたが、その理由がわかりません。長年、一つの党しか通る見込みがないような小選挙区が多ければ、それ以外の政党が残るでしょうか。

実際、先ほど加藤さんがおっしゃったように、地方では西日本を中心に、自民党以外の政党が選挙区で勝てていない地域が多くあります。そういうところでは、第一党に対抗し得る第二党を維持し続けるのは難しい。維持するにしても、労働組合など、その基盤となる、何か強い支援がなければ続かない。しかし、今は労働組合も弱くなっています。だから、野党の凋落というのは当然予想されたことで、決して意外なことではありません。

今回の参院選で、野党は途中から国民生活を直撃する「物価高」を争点にしようとしました。これだけ急激に物価が上がったら、他の国であれば、多くの有権者が条件反射的に与党を叩くものです。現状に不満があったら、とりあえず政権与党ではない野党に投票する。それが、政党政治というものです。しかし、日本では「物価高」の争点化はほとんど効かなかった。現状に不満があっても与党に票を入れるという有権者が、日本には多いわけです。この背景については、先ほども議論しましたが、とにかく日本は普通の政党政治とは違う。

加藤　政治制度改革で政権交代が可能なシステムとして小選挙区制を導入した時は、こんなに自民党が勝ち続けるとは想定されていませんよね。

長谷部　現状に不満があろうと、それでも与党に入れるのは、子どもの頃からの教育にも起因すると思います。日本人は、社会に何か良くないことが起きても、それが「政治のせい」だとは考えない。しかし、政治は日常生活と無関係ではありません。そういうことを教えずに、

「偉い人の言うことは聞きなさい」としか教えない。

加藤　長谷部さんは、選挙制度をどう変更していったら良いとお考えですか。

長谷部　私の主張は、第2章でもお話ししましたが、フランスで伝統的にとられてきた「小選挙区2回投票制」。1回目の投票では過半数を獲得した候補者だけが当選し、そうした当選者がいないときは、2回目の投票で相対多数を得た候補者が当選します。そのため選挙区ごとに様々な政党の連携が模索され、各政党の規律が緩和されます。今の日本は、政党の規律が効きすぎですね。もちろん、それでうまくいくとは限りませんが。

あとはベルギーやオーストラリアで導入されている「義務投票制」でしょうか。参政権には、国家のあり方を有権者が判断して投票するという責務としての側面がありますから、投票を義務づけても憲法違反にはならないでしょう。「必ず投票しなければいけない」となれば、少なくとも今よりも多くの人が、誰に入れるか、をもう少し真剣に考えるようになると思います。

加藤　私はシステムに加えて、自民党が〝割れる〟ように仕向ける必要があると思っています。戦後日本の民主主義は、「焼跡からのデモクラシー」と捉えることができますね。これは歴史家の吉見義明さんの『焼跡からのデモクラシー』（岩波書店、2014年）から採られた表現ですが、戦後思想は国民の戦争体験から生まれたといっても過言ではないと思います。1955年の保守合同前は、自由党の吉田茂、日本民主党の鳩山一郎、改進党の重光葵といったように、各党の領袖の第二次大戦中の出自や置かれた立場は、かなり異なっていました。

吉田は外務次官などを務めた外交官で、戦前では数少ない「親英米派」でした。戦争末期、近衛文麿元首相の終戦工作に協力したとして、自邸に潜入していたスパイの手引きで憲兵隊に捕まっています。一方の鳩山はいわゆる党人派。東条英機内閣に嫌気がさし長野県の軽井沢に引っ越し、敗戦まで農業などをして隠遁(いんとん)生活を送ります。重光も吉田と同じく外務官僚でしたが、憲兵隊に捕まった吉田とは異なり、東条内閣改造で外相となり、敗戦直後には首席全権として、45年9月2日に東京湾上のミズーリ号で行われた降伏文書の調印式で署名しています。ただ一方で、43年9月頃から終戦を意図した外交工作に着手してもいました。

そのような考えの違った面々が集まって、55年に自由民主党を作ったわけです。そして、戦後も93年に自民党の幹事長も務めた小沢一郎ら44名が自民党を離党して新党を結成しました。外交政策や防衛政策に関しては、このような自民党の多様な出自は潜在的な対立要因になりえます。旧統一教会票の分配にも直接関与していたといわれる安倍元首相の死去は、さらなるインパクトを与えたことでしょう。

こうした〝割れる〟要素は、今の自民党にも十分にある、と私は見ています。

「対案を出せ」症候群

加藤　テレビの街頭インタビューなどで、よく「野党は対案を出さない」ということを言う人がいますよね。世の中の多くの方々が、会社や社会の様々な場面で、「対案を出せ」と上司や年長者などから迫られ続けているのが、よくわかる風景です。しかし、「対案を出せ」ばかりが先行すると、批判ができなくなります。

国立大学も法人化され、似たようなことが起きています。株式会社と同じような経営効率化の観点で運営されるようになっています。教授会が異議申し立てをすると、「対案を出せ」とくるわけです。ガバナンス、ステークホルダー、効率化、生産性など、いわばコンサル用語が大学に限らず、あらゆる組織で幅を利かせています。そもそも発生してきた経緯の異なる組織を、一つの方向に押し込もうとしているのがおかしいと思いますね。

中央省庁でも内閣人事局ができてから、官僚人事は官邸が行うようになった。そのために、もともと政策の失敗を認めない官僚が、経歴に失敗の痕跡を残さないようになり、政権批判も行わなくなった。本来の公務員制度改革は、人事の集権化と同時に、内閣官房長官による人事管理について国民に説明する責任体制の確立などをうたっていましたが、これは実現されなくなり、幹部人事が官邸に掌握されてしまいました。一つの方向にだけ目がついている「ヒラメ」官僚が跋扈(ばっこ)している風潮も、「それでも与党に入れる」という今の有権者の行動に影響していますよね。

杉田　省庁に対する「政治主導」の統制が過剰に浸透しました。政治家は選挙で信任され、共同体全体の意志としての「一般意志」を示すので、官僚はそれを機械的に執行すべきであり、自分自身で判断するようなことはよろしくない、という権力システムの集権化的な理解が広まったわけです。そこでは、考える官僚、政治家に意見を言う官僚というのは、民主的な権力行使に横から介入するものであり、雑音だ、ということになります。元文科官僚の前川喜平氏が「(当時宗務課長だった)私が自分の見識で統一教会の名称変更を止めたのに、なぜ2015年に申請を受理したのか」と告発しました。名称変更には、当時の下村博文(はくぶん)文科相が関係しているのではないか、という疑惑がもたれています。

しかし、今のような、「政治主導」論の下では、前川さんのような対応がむしろ間違いであり、政治家の言うなりにすべきだった、ということになるのでしょう。実際、そういうことを言っている政治家や評論家もいます。

長谷部　それは全国民のための利益を図る一般意志でなく、個別の利益を志向する「特殊意志」でしょう。

杉田　その通りです。先ほども触れたように、政党政治を軸とする代表民主政では、特定の政治家に権力行使を任せるしかないわけですが、彼らが常に国民全体のために働く保証はない。彼らも、しばしば、自分たちやその周囲の人間の利益を図ります。票を集めてくれる利益団体や宗教団体への配慮などです。したがって、選挙に左右されず、身分が安定しているがゆえに一定の中立性を持つ官僚などがそれに適切にブレーキをかけることは、権力行使を適切なものにするためには必要なことです。もちろん、今度は官僚サイドの「特殊意志」がはたらくこともあるでしょうが、そこは、互いに抑制し合うことで、相対的にマシな状態になるわけです。

長谷部　たとえば、公務員制度改革基本法でも、「政治主導」の部分だけがつまみ食いされ、政治家がどう言ったか、どういう要請をしたのかを全部メモに取って、すべて公開するという提案が全然制度化されていないという議論がありますね（嶋田博子『職業としての官僚』岩波新書、2022年）。つまり、政治家の特殊意志で役所を動かし、それを貫徹しようとしているわけで、決して一般意志ではありません。

杉田　政治的な決定によって官僚を手足のように統制しようと考える人たちは、「選挙で選ばれた」ことを絶対的な正統性の根拠にします。しかし、それが一般意志を体現している根拠にはなりません。そもそも一般意志が貫徹するかたちで政治主導を行うことなんて、原理的にできないので。

長谷部　だから特殊意志を通すのであれば、少なくともどういう特殊意志の要求があったのかを公開するべきです。

杉田　公開することに加えて、権力を多元的な構造にしなければいけない。例えば旧統一教会の名称変更については、選挙でお世話になっている政治家よりは、前川氏が判断するほうがまともなシステムになると思います。彼は単に一官僚ですが、官僚組織の中で形成・蓄積されてきた経験知に基づいて判断しているはずなので。先ほどご指摘の嶋田さんのご本でも、過剰な政治家優位への反省は諸外国でも出ているとのことです。

長谷部　それはよくわかります。もちろん、内閣人事局を今さら廃止できるかというと、自民党が「うん」と言うわけがありません。現状で可能なのは、せいぜい特殊意志を通すのであればきちんと公開すること。現実的には、そこまでだと思います。だからやはり公務員制度改革基本法を出発点にせざるを得ないのではないか、と私は考えるわけです。

公文書管理と放送法

加藤　福田康夫元首相がその成立に尽力して麻生太郎内閣下で２００９年７月に公布された公文書管理法は、２０１１年４月から施行されました。同年３月の東日本大震災時は、厳密には公文書管理法は施行前でした。しかし、震災に日本政府がいかに対応したかの記録は、公文書管理法にのっとって残されるべきでした。しかし、当時の菅直人首相は政府の緊急災害対策本部などの会議で、議事録を残せという指示をしなかったと言われています。しかしその後、野田佳彦内閣下で、岡田克也副総理が公文書管理委員会などを指揮して、経産省など関連の各省庁に議事録を記録から復活するように指示し、実際、かなりの議事録・公文書が復活作成されました。

岡田さんは、各省の官僚が政治家と面会した際の記録を作成し、管理・保存の対象とすべきだと考えていたと思います。岡田さんは外務大臣時代の２０１０年、日米の核密約に関する外務省調査結果と有識者委員会の検証報告書を公表した人でした。

しかし２０１２年12月に安倍政権になって以降、公文書管理を重視する姿勢はいっさいなくなりました。だからこそ、「内閣人事局の廃止」を言う前に、公文書管理法の見直しや公務員制度の改革など、「現実的に可能な問題提起」をしていくことですね。これはある意味簡単なことで、先の公務員制度改革基本法が本来持っていた全体の改革構想のうち、実現されなかった部分を、まずは実現するよう求めていけばよいわけです。

杉田 先ほど述べたように、今の政治主導では、官僚に対して過剰な統制機能が働いています。その一方で、政治家は統制されていない。選挙が十分なチェック機能をはたせない形になっていることも、先ほど見た通りです。とりわけ、行政改革で、内閣に直結して政権に忖度する機関としての内閣府ができて、悪影響を及ぼしています。日本学術会議も内閣府の所管です。仮に文科省の所管であれば、あそこまで強引な介入はなかったのではないか。政治が様々な独立的な領域に介入するための拠点になっています。

加藤　長谷部さんは、日本をまっとうな民主国家にするために、憲法改正をする前に法律レベルでできることは多くあると、繰り返しおっしゃっていますよね。

長谷部　たとえば、放送法の改正です。一つは放送事業者の免許の付与や監督をする機関として、中央省庁とは別に第三者委員会方式の独立規制委員会を設けることです。総務省にしても国会にしても、「我々は公正中立に放送行政を行っている」「どの党派にとって有利か不利かという計算などしていない」と反論するでしょうが、見た目がよくありません。現に公正中立であるかとは別に、公正中立であるように誰の目にも見えることも重要です。中長期的な視点に立てば、公正取引委員会や個人情報保護委員会がそうであるように、総理大臣や内閣の指揮が及ぶことのない、独立して職権を行使する合議制の委員会に放送行政を託すことが、健全な民主主義の発展に寄与することは疑いのないことです。

加藤　自民党の高市早苗（さなえ）さんは、総務相だった2016年に「放送法違反による電波停止命令を是認する発言」をし、物議をかもしました。規制権限をちらつかせていましたよね。

長谷部　官僚はそんなことをしなくても、せいぜい行政指導すれば放送局は言うことを聞くだろうと思っています。放送事業者のほうも、官僚を時々接待してお土産でも持たせておけば何とかなるだろうくらいに考えているのでしょう。お互いにつき合い方がわかっているほうが安心なんですね。

もう一つの見た目の問題を指摘しておきたいのですが、NHK予算の国会承認の在り方です。受信料制度を廃止して有料放送にすべきだという話ではありません。視聴者全体から広く薄く受信料を受け取って財源とする制度は、政府や広告主の圧力で左右されることのない、良質で需要の高い番組を全国に提供する上で適切な制度です。

しかし現在の放送法では、NHKの毎年の受信料額は、NHKの予算を国会が承認してはじめて確定します（同法70条4項）。つまり、国会が予算を承認しない限り、NHKはその年の受信料を受け取ることができません。こうした仕組みにもかかわらず、NHKの番組内容に国会の多数派の意向が及ぶことはあり得ない、と自信をもって言い切れるでしょうか。

毎年の受信料の額は、国会の権限から除外して、やはり独立した第三者委員会の判断に委ねるべきものでしょう。NHKの番組が偏向しているのではと懸念を抱く方々は、そうした懸念をもたらす根源となる仕組みをなくすことにも注意を向けるべきだと思います。

議論なき政治

加藤 国葬をめぐる閣議決定についても言えますが、法的根拠を度外視し、しかも国会で議論せず、国民に説明することもなく物事を決めていく流れは、安倍政権時代から続いている政治の特徴です。閣議決定ばかりで物事を決めていく政治を、岸田政権も引き継いでいるように見えます。

長谷部　安倍さんの狙いの一つは、内閣法制局の権威を〝破壊〟することでした。これは見事に破壊されたと言っていいでしょう。政府が説明しないのは、説明しようがしまいが責任を問われることがないと経験上わかっているからでしょう。選挙に負けることはないと、高をくっているのです。実際に選挙に勝ち続けています。「選挙結果に影響がないなら説明する必要はないし、実際に説明もできない」というのが本音ではないでしょうか。

加藤　安倍さんは２０１３年に、内閣法制局長官に外務省の元国際法局長を起用するという異例の人事で「内閣法制局を破壊」しました。内閣法制局長官はそれまで、内閣法制次長を昇格させるのが慣例でした。外務省出身で法制局での勤務経験のない人物を起用し、集団的自衛権の解釈改憲まで突き進みました。

また、安倍さんも菅さんも官房長官だった加藤勝信さんも、よく「ご指摘は当たらない」という答弁を多用します。都合の悪いことには、端から説明する気がない言い方です。つまり、自分が傷つかないかたちで説明を全部避けるわけです。

しかし一般的に、たとえば勤めている会社で「ご指摘は当たらない」と言って、聞かれたことへの説明を拒み続けていたら、「もう明日から来なくていいよ」となるでしょう。その典型だった菅さんを「鉄壁」などともてはやす人たちやメディアがいたわけです。

「説明しない政治」が常態化しているのは、今の時代を映していると言えるのかもしれません。そうであればなおのこと、今の状況に違和感を持ち、不思議に思わなければいけない。そして、的確な言葉と正確なデータを用いて真摯に怒ること、これが大事だと思います。

杉田　近年、非常に顕著になった国会軽視の問題をどう考えるかも重要ですね。日本国憲法に明記されているのはもちろん、そもそも代表民主政の本質からして、国会のほうが内閣より上位です。にもかかわらず、最近の日本では国会が軽視され、内閣がやりたい放題やっている。臨時国会の開催を憲法第53条に基づいて求めても無視して、いろいろな重大事項を閣議決定だけでやってしまう。我々の朝日新聞での対談でも、ずっと、これを安倍政権の問題として指摘してきました。

しかし、この問題は、安倍政治そのものの特徴というよりは、もう少し根深いのかもしれません。安倍さんが退場した後も、国会の軽視は変わらずに続いているからです。議論なき国会に対する一種の諦めも、国民の中に浸透しているのではないか。それが、国会軽視をさらに助長するという悪循環になっているのではないでしょうか。

長谷部　正しくは、国会自らが「軽視」されるように仕向けているんです。「緊急事態条項」

についても、そうです。

杉田　自民党の改憲構想などにある「緊急事態」では国会の立法機能を停止して、内閣総理大臣に権限を集中するという条項の話ですね。国会自らの権限を奪うように国会が改憲を提起するわけですからね。

長谷部　「国会で対処できるはずがない。だから、何もかも決めてほしい」と。つまり、国会が国会として果たすべき役割を果たすつもりがない。役人もそうです、面倒なことに触りたくない。要するに責任放棄、無責任体質の蔓延です。

加藤　コロナ対応においても、責任放棄が端的に表れました。第1波から7波の間、「失敗、対応、失敗、対応」の繰り返しで、後世に蓄積すべき知見が得られたかといえば、心許ない。相変わらずマスク頼みです。やはり、どこにネックがあったのか、責任をとるべき人や部署を明示的に書き記して残さなければなりません。7回も同じ嘆きを繰り返すなんて許しがたいです。

杉田　2022年9月、イギリスでは、ボリス・ジョンソン首相が、政府や議会に対して繰り返し嘘をついたとして退陣させられました。一方、安倍さんは首相時代にいろいろな嘘をついたり、周りにつかせたりもした。「桜を見る会」の前夜祭をめぐる疑惑については、国会答弁で118回の嘘を繰り返した。しかし、それで退陣することは、結局なかった。日本とイギリスのこの違いをどう考えるか。そしてジョンソンの後任を決める保守党の党首選では、女性とマイノリティの競争になりました。同じ政党政治でありながら、そうした点も日本とは異なります。

イギリスにもいろいろ問題があるにしろ、政治の世界で、言葉が大切にされ、首尾一貫性が重視されている。日本にはそういう伝統がもともと弱い。加えて近年、日本は社会全体がとまでは言わないけれども、少なくとも政治の世界ではまともな議論ができなくなっている。特に安倍・菅政権時代は全く論理性のある議論にならず、ひどかった。岸田政権についても大いに不安です。

長谷部　ただ、ジョンソンもなかなか辞めなかったですよね。

杉田　ロシアによるウクライナ侵攻で、ウクライナ側に強力に肩入れしたことなどが、西側諸国の中で一定の評価をされ、しばらくは留まりましたが、それで有耶無耶(うやむや)にはならず、嘘やごまかしが問題にされたわけです。

長谷部　1979年から10年以上、首相を務めたマーガレット・サッチャーの時もそうでしたが、もう政権がもたないとなると閣内の大臣がどんどん辞職して、首相自身も辞めざるを得ない立場に追い込んだ。

杉田　それが決め手になりましたよね。日本では首相に抗議して大臣が辞職するというのは、ほとんどありません。イギリスでは、大臣が辞める理由を、いちいちレターで公表しています。

長谷部　このまま閣内に残っても次の総選挙では勝てそうにない、自分の議席までが危ういこともあって辞めるんですよ。

杉田　有権者も、ジョンソンの説明不足の対応にはきちんと批判を加えていました。一方で日本の政治家には、有権者に対して論理で訴えなければいけない、というイギリスのような前提がそもそも欠けています。トランプ政権の末期にも、政府高官や側近が結構たくさん、自分から辞めていましたよね。日本では、誰一人辞めていません。保身しか考えていない。

長谷部　日本の場合は「説明しなくても選挙で負けない」。これがやはり大きいのではないでしょうか。

憲法的大問題

加藤　岸田内閣は2022年4月、原油価格や物価の高騰に対応するための「緊急経済対策」の実施を決めました。問題なのは、「予備費」の使途拡大です。国会での審議を経ずに使い道が決められる予備費は総額が20兆円を超え、巨額積み増しの常態化が懸念されています。安倍元首相の国葬も、予備費で賄われました。何をどういう費目に使うのか、使い道が適切かを問われないままに税金を使う。これは憲法の観点から非常に問題があるのではないでしょうか。

長谷部　おっしゃるとおり、大問題です。たとえば、22年4月22日の「日本経済新聞」電子版によれば、政府が使ったコロナ対策に向けて用意した予備費の中で、国会にその使い道を報告したのが約12兆円。使い道が正確に特定できたのは、そのうちの6・5%だけです。大部分は実際、どう使われたかさっぱりわかりません。

憲法87条に予備費に関する規定があります。その第2項に「すべて予備費の支出については、内閣は、事後に国会の承諾を得なければならない」とあります。予備費の支出については、事後に国会の承諾が必要なんです。しかし、承諾しなかったからといって、支出が無効となったり、お金を戻す必要性が生じたりするわけではない。実際のところは、「何に使ってもいいですよ」と政府に対して国会がお金を渡してしまっている状態です。

「財政民主主義」の根幹は国会による予算コントロールのはずです。税金の使い道は、国会の議決に基づいて決めなければなりません。この原則を国会が自ら放棄して、莫大な予備費を積み増して、政府が好き勝手に使うことを認めてしまっている。別の言い方をすると、現在の政権はある種、予備費に関する憲法87条を緊急事態条項のように使おうとしている。これは緊急事態では帝国議会の承認なしに財政上、必要な措置がとれるとした、戦前の「緊急財政措置」(旧憲法70条)と同様の話です。そんな制度は現憲法にはないはずなのに、予備費を名目に、政府が好きにお金を使える体制になってしまっている。

今、緊急事態条項を求める人が多くいますが、現在の予備費の条項をとっても、これだけ勝手なことができているわけです。さらに緊急事態条項まで作って、政権はいったい何をやりだすんだろうかと、大変心配しております。

加藤　私もすごく心配です。財政民主主義の背景には、戦費調達のために国債を乱発した戦前への反省があります。我々は税金を取られてしまうと、そのあとの使い方につい無頓着になりがちです。それをいいことに政権が好き放題やりだしている。今の長谷部さんのご説明でもよくわかりました。憲法違反の問題も含め、やはり我々が無頓着ではダメだということですね。

杉田　行政権力の暴走を、無関心な国民が傍観するという流れを、このあたりで止めないと大変なことになりますね。加藤さんにいろいろご教示いただいた戦前の経験が、もう一度繰り返されるようなことがあってはなりません。

巻末

「分断」の時代を乗り越える

本稿は、「国葬と教団問題から考える『分断の政治』安倍政治的なものの総決算」(「朝日新聞デジタル」2022年11月1日)を一部再編集したものです。鼎談は22年10月19日に収録され、聞き手と構成は朝日新聞編集委員の高橋純子が務めました。

菅元首相のスピーチと山県有朋

加藤　9月27日、安倍晋三元首相の国葬が行われました。なぜ国葬なのか、法的根拠があいまいだとの批判が最後までやまず、世論は二分されました。

長谷部　岸田文雄首相は法令上の根拠を十分に詰めないまま、国葬にすると決めてしまった。背中を押したのは内閣法制局だと報じられています。安倍政権によって骨抜きにされた内閣法制局が、ある意味「期待通り」の仕事をしたということでしょう。

杉田　私は国葬のテレビ中継を見ていません。たまたま用事で出かけていたということもありますが、オリンピックなどと同様、国家的イベントで人々を「動員」しようとする動きに対しては、賛成、反対だけでなく、やりたいのなら勝手にどうぞ、私はあえてスルーしますという自由主義的な対応も、ありうると思っています。

加藤　私は安倍さんの国葬も、エリザベス女王の国葬も、両方しっかり見ました。思想及び信条の自由が保障された私的空間とは異なり、宗教的に中立な儀礼の場を公共空間と呼べば、安倍さんの国葬は、公共空間をつくることに不慣れな人々が手がけて、やはり失敗していたと思います。内閣総理大臣の「おわり」は、国会で指名されるという「はじまり」の瞬間と呼応させないといけません。ゆえに吉田茂の国葬をやるにあたって、当時首相だった佐藤栄作が野党と内々に話をつけた。しかし今回は、敵対する党派を引き込む努力を怠りました。いきなり国葬ではなく、10月25日の衆議院本会議で立憲民主党の野田佳彦元首相による追悼演説がなされたような送り方でもよかったのでは。ほかにも、4時間を超える拘束を各国の王族に強いるなど、抑制と緊張感を欠いた締まりのない国葬が行われてしまったことはとても残念でした。

杉田　菅義偉前首相の友人代表としてのスピーチには、「感動した」という声も多かったようですが。

加藤　菅さんが良かったのは、安倍さんが読んでいたという、岡義武の『山県有朋』を手に取り、ページの端が折られていることなどを自分で確認したことです。でも、伊藤博文が亡くなったところを引いたことに、私はガクッときました。山県が真の盟友と見定めていたのは西郷隆盛です。西南戦争の最終盤、木留の戦闘にあたって山県が詠んだ「木留山しらむ砦のすてかがりけぶるとみしはさくらなりけり」という名歌があり、西郷の首級を目にした山県が涙を流し、「このひげは三日剃りくらいだろう」と言ってそのひげをなでたという、ものすごい場面もあの本には描かれています。ずっと一緒にやってきた盟友を失った、明治10年の山県有朋の慟哭。はっきり言って、伊藤なんてどうでもいいんですよ、山県にとっては。そのあたりの読みが極めて浅い。官邸が抱えてきたスピーチライターのレベル、安倍さんを支えてきた人たちの地金みたいなものが今回、はからずも露見してしまったように思います。

国葬に見た「自衛隊の役割」

杉田　ところで、イギリスの国葬ではなぜあんなに軍が前面に出てくるのでしょう。旧植民地の人々からは、大英帝国の軍国主義的、帝国主義的な歴史への反省がイギリスにはまったくないとの批判も、改めて出ていましたが。

長谷部　女王は別として、イギリス王室の男子はだいたい軍務に就くからでしょう。また、軍の統帥というのは国王大権のひとつであり代表的なものです。戦前の天皇もそうでした。軍が国王の葬儀にあたって前面に出てくるのは別に不思議なことではないと思います。

加藤　日本においても、明治以降、多くの国民が支持する国家の歴史の物語を生み出したのは軍事力で、その統帥権は天皇が持っていた。だからこそ、国家に偉勲があった者に対して、天皇の特別なおぼしめしによって行われた戦前の国葬では、軍が前面に出ていました。それが今回、変に矮小（わいしょう）化され、国葬はもとより安倍さんの私的な葬儀にまで陸上自衛隊儀仗兵を出した。遺骨を載せた車は、国葬会場に向かう途中に防衛省を回った。内閣総理大臣が文官として自衛隊の最高指揮権を持つとは言っても、戦前と現在とでは国家の成り立ちがまったく違うのだから、それでよかったのかという問題は残ります。「伝統」「慣例」といった言葉でうやむやにされるべきことではないと思います。

杉田　国家に寄与したとされる人の葬儀に自衛隊儀仗兵を出すということは、国家の本質的な部分は軍事である、というイデオロギーを広めることにつながるのでは？

長谷部　これは憲法学者の樋口陽一さんが常々おっしゃっていることですが、日本国憲法は9条によって軍の正統性を否定し、それによって自由な公共空間を戦後の世界に生み出した。国葬で、安倍さんの偉大さを自衛隊に象徴させようとしたのだとすると、それは戦後の民主主義、立憲主義と真っ向から対立します。逆に言うと、安倍さんが戦後民主主義や戦後立憲主義と対立する政治家であったことを国葬での自衛隊の役割が物語っている。また、家族葬にまで儀仗兵を出したことは、防衛相が実弟だったことと相まって、典型的な縁故主義を物語ることになるでしょう。それで本当によかったのか。

安倍政治的なものの総決算

加藤　安倍さんは『美しい国へ』を上梓（じょうし）し、「日本を取り戻す」をキャッチフレーズにするなど、国家主義的な側面を強く見せて人気を集めた政治家でした。ところがいまでは「モリカケ桜壺（つぼ）」、つまり、森友・加計学園問題と桜を見る会、そして旧統一教会ということですが、そのような狂歌的な思い出し方をされるようになっています。

杉田　最近の世の中の雰囲気を見ると、不幸な事件をきっかけとして、安倍政治的なものの総決算に入っている感じがします。特に第二次安倍政権においては、権力が官邸に集中し、えこひいきを含めた恣意的な政治が横行しました。野党も、我々も、そのことを当時からずっと批判してきたが、世論の大勢にはなかなか浸透しませんでした。ところが事件後、一気に浸透している。キツネにつままれたような感じ、と言えなくもありません。

長谷部　つままれたのではなく、落ちたんじゃないですか。「憑きもの」が落ちた。日本社会は、どんな問題も「調整問題」と思いがちです。つまり、自分で考えて決めるのではなく、みんながやるように自分もやろうと思う人が大部分なので、みんなが右に行っていると思えば右に行く。今回、右派のアイドルだった安倍さんが亡くなり、旧統一教会との関係が次々と明るみに出て、みんなが「おかしい」と言い始めたから、そっちの方向に進んでいるということでしょう。

杉田　日本は同調圧力や忖度が強く、他の人が支持しているものを自分が支持しないと「変な人」だと思われるという恐怖がある。だから前向きに支持しているわけじゃないが、批判はせずにお追従すると。それで成り立っているような、実体的基礎のない権力は、その中心がなくなればすぐに崩壊します。かつて、自民党の幹事長だった金丸信がそうでした。絶大な権力を握っていて、金丸がうんと言わないと何もできないなどと言われていたが、亡くなったらあっという間に、蜃気楼のようにその権力構造は消えてしまった。

加藤　たしかに、前回鼎談をした半年前と今とでは、社会の空気が変わりましたよね。自衛官に対するセクハラ問題で防衛省が謝罪するとか、伊藤詩織さんを中傷する投稿に「いいね」を押した自民党の杉田水脈（みお）氏に高裁で賠償命令が出るとか、ひょっとすると安倍さんがいなくなったことと関係があるのかなと思っている人も少なくないでしょう。東京五輪をめぐる汚職事件の捜査が進んでいるのもそう。本当のところはもちろんわかりませんが、これまでとは違う風が吹き始めているという感じはしています。

旧統一教会をめぐる拙劣な答弁

長谷部　私は、岸田さんはけっこうしたたかな人ではないかと思っています。旧統一教会をめぐる一連の動きを見ると、この件を安倍派つぶしに使おうとしているフシがまったくないとは言い切れないのではないか。したたかに立ち回ったからといって、うまくいくとは限りませんが。

杉田　しかし、旧統一教会への解散命令請求をめぐり、刑事事件じゃないとできないとの答弁を、民事でもできると1日で翻したのはあまりに拙劣でした。

長谷部　岸田さんは、平成8（1996）年の最高裁によるオウム真理教の解散決定に沿って、刑事事件に限る、民事の不法行為は入らないと説明しましたが、平成8年決定自体は刑事でなきゃだめだとも民事は入らないとも言っていない。なのになぜあんな答弁をしたのか経緯はわかりませんが、間違っていたので修正したということでしょう。

杉田　今回、宗教法人法を初めてみて驚いたが、90条近くあって、何度も「信教の自由を妨げることがないように特に留意しなければならない」という趣旨の文言が出てくる。戦前、国家が宗教を弾圧した歴史があるから、宗教団体に対してかなり遠慮した法律になっている印象です。実際に解散命令が出されたのは、オウム真理教と明覚寺の2件だけですね。

長谷部　明覚寺事件について、少し遠いところから話をします。第二次大戦中のアメリカで、聖者サンジェルマンのメッセージを郵便で伝えるといってお金を巻き上げていた宗教団体が刑事事件として摘発されました。その裁判にあたって、裁判官は陪審員に、宗教団体の言っていることが正しいか間違っているかを判断してはいけないと言っている。信教の自由の侵害になるから。ただ、彼らが言っていることを彼ら自身が信じているかどうかは判断しても構わないと。

　明覚寺への解散命令もそれと同じです。彼らはいわゆる「霊視商法」で摘発されたのですが、こう言われたらこう答えろというマニュアルをつくっていたんですね。つまり、自分たちの言っていることを自分たち自身が信じておらず、組織的、継続的に悪質な詐欺行為を働いていたとして解散命令が出た。明覚寺側は特別抗告しましたが、最高裁は三行半(みくだりはん)で棄却しています。

加藤　だから、旧統一教会の側は「個々の信者がやったことで教団は関係ない」と弁明するわけですね。組織的、継続的にやっているわけではないと。

長谷部　そこを防波堤にしようと頑張っているのでしょう。事実、民事事件や、宗教法人法の質問・調査だと、強制的な立ち入り調査の権限がないので、組織的、継続的に悪質な行為を働いていたことを立証するのはなかなか難しい。「刑事事件でないとできない」という岸田さんの答弁は、強制捜査ができればマニュアルなどが見つかって、解散命令請求できるということが念頭にあったのかもしれません。

加藤　長くこの問題を取材してきた鈴木エイトさんは、多くの内部資料や記録を確保しているようです。教団側は、本部がつくったものではないと否定するでしょうが。

長谷部　本当になんらかのマニュアルが外部に流出しているのなら、強制捜査をかけるまでもなく解散命令を請求することはできると思います。

杉田　当初、自民党の政治家は「何が問題かわからない」などととぼけていろんなことを隠してきたし、今も隠しているようです。山際大志郎・前経済再生相の対応も明らかに異常でしたが、事実上の更迭までにかなり時間がかかった。そんななかで世論の方が沸騰してきて、内閣支持率は低下し、もう解散命令請求を視野に動かざるを得ないというところまできている。政府・自民党の拙劣な対応が、そういう事態を招いています。もっとも、票をもらうだけでなく、政策の中身にまで関わるなど、問題の教団との関係が深すぎて、とぼけるしかないということだったのかもしれませんが。

多様性の否定と社会の分断

長谷部　今回のことを受けて、従来の憲法学の通念について反省するところがあると考えるようになりました。憲法14条1項は人種、信条、性別、そして社会的身分による差別を禁止しています。これら社会的偏見の対象になりがちな少数者の権利や利益は、多数決の政治プロセスの中では実効的に守ることができない、だから裁判所がきちんと守ってあげなくてはいけないというのが憲法学界の通念でした。しかし、カルトと呼ばれるような宗教団体は、信条によってメンバーを強力に統制し、メンバー相互の監視も可能で、それを梃子にしてサイズに見合わないような政治的影響力を発揮していた。となると、少数派だから裁判所が守ってあげなくてはならないということにはならない。

一方、山上徹也容疑者のような非正規労働者や、シングルマザーはこの社会に多数存在している。でもバラバラでいるからネットワークも作れないし、相互のモニタリングもできない。集団のサイズが大きくなるほど、逆に、共通する権利や利益実現のために協力することが難しくなるという現実にもっと目を向ける必要があります。

杉田　憲法20条には信教の自由と政教分離、ふたつのことが書いてある。信教の自由というのは宗教団体を国家権力による抑圧から守るということで、他方、政教分離は政治を特定の宗教団体の過大な影響力から遮断するという側面を含みますよね。しかし、この二つの関係をどう調整するかは憲法には特に書いていない。戦前は様々な宗教団体が弾圧されたので、その経験を踏まえて戦後は、「政治は宗教に介入するな」というスタンスを宗教団体はとってもよかったのに、逆に、権力とくっつけば弾圧されないという方に進んでいった。政権与党の支持母体である創価学会については折にふれて話題になりますが、ほかの宗教団体も似たようなことを考えていることが今回、明るみに出たと。

長谷部　宗教団体が民主的な政治過程に働きかけを行うのは、日本と同じように政教分離の体制を取っているアメリカでもフランスでも普通に見られることで、そのこと自体に何か問題があるというわけではありません。そこは、旧統一教会の問題と分けて考える必要があります。また、戦前に宗教団体が弾圧されたのは、天皇制の競争相手だったからです。これは政治学者の渡辺浩さんが『明治革命・性・文明』で指摘していますが、伊藤博文らが考えたのは、日本人には伝統的に市民宗教というものがないので、代わりに天皇制を樹立して、それを梃子に近代国家を形成しようとした。しかし戦後は、市民宗教の代替としての天皇制はなくなった。占領軍に折伏（しゃくぶく）されましたから。

加藤　初代宮内庁長官である田島道治の『昭和天皇拝謁記（はいえつ）』を読んでいたら、1953年6月に昭和天皇がぼやいているんですね。いま国会で騒いでいる議員は、戦前期の軍と同じだと。動機が良いからといって許していると、止められなくなると見ていたようです。「今度は赤が国内に居て平和などいふ美名で共産色を発揮する。まるで国や旗印の差はあれ全く同じで」と。私はこの間ずっと、旧統一教会と政治の結節点となった「反共」意識について考えていたので、なるほどと。まさに「平和などという美名で」安全保障法制反対のデモは盛り上がり、共産党も野党共闘に本格的に乗り出した。その時、岸信介のDNA、反共のDNAを受け継ぐ安倍さんの危機感は相当高まったのではないか。安倍さんの野党共闘つぶしへの「本気度」を、旧統一教会への肩入れの要因として見直しておく必要があるのかなと思いました。

杉田　とはいえ冷戦終結後、「反共」というアイデンティティーの中身は変わってきているわけですよね。「反共」と言いながら旧統一教会は北朝鮮と連携をはじめ、その一方で、家族保護や反ジェンダー平等を強く訴えるようになっている。それに合わせるかのように自民党も反夫婦別姓などの方へシフトして、安倍さんの支持層はアメリカのトランプ派とも方向性を同じくしていた。要するに、多様性を否定し、特定の価値観でもって社会を分断してきたわけです。いま、安倍さんを支持してきた保守派が苦しまぎれに、リベラル派は旧統一教会を敵とみなして日本に分断を持ち込んでいるなどと言っているが、分断という概念をはき違えています。多様性そのものを否定する考え方を、多様性の名によって擁護すべきではないでしょう。

長谷部　分断というのは、社会のなかで許容可能な人たちを排除しようとすること。許容できない人びとを排除するのを分断とは普通言わない。泥棒した人を刑務所に入れることを分断とは言わないのと同じです。

加藤　いずれにしてもこれから、安倍政権の「負の遺産」である「分断の政治」をどう乗り越えていくのかを真剣に構想しなければなりません。

あとがき

加藤陽子

本書の「まえがき」で杉田敦さんは、長谷部恭男さんとの共著『これが憲法だ！』（朝日新書、2006年）について、長谷部さんと長く話したのは初めてだったのに「ずっと前から、色々と話をしてきた友人」のように感じたと書いています。杉田さんはその理由を、『これが憲法だ！』の「まえがき」で、「長谷部さんが、自ら憲法学者であることに違和感を抱いているように見えるからだ」「なぜか同じ臭いを嗅ぎ取った」（3頁）と説明していました。

2021年から加わった私は、2人に同じ思いを抱きました。人間が積み上げてきた学問の蓄積というものは、ひとが自らの全存在を賭して問うたとき、動かしがたく見えた歴史の流れに対して、爪を立てる方法を教えてくれるものです。そのような学問の真理を知るゆえに私たちは、自らが専門の枠内でどれほどのことをやってきたのか、自らに問いかけながら日々を生きています。このような内省と自己内対話こそが「違和感」の中身にほかなりません。

この、「違和感」3人組が鼎談を通じて対峙したのは、日本と世界の現状です。新型コロナウイルス感染症をめぐって引き起こされた問題は、日本社会に生きる人々に、「政治が私たちの生活を左右するという意識」(杉田発言、45頁)を持たせました。また世界に目を転ずれば、ロシアの侵攻で始まったウクライナでの「戦争」は、ロシア国内の大多数を占める一般の人々を、「初めて、独裁のリスクに向き合」わせることになりました(同前、144頁)。日本でも世界でも、多くの人々が政治に関心を持たざるをえない時代相が、前面に出てきたのです。

このように、現在の日本と世界の状況が転換期あるいは分水嶺の時代として位置づけられ、しかも、その向かう先が必ずしも人間の幸福にとって望ましくないものに思えるとき、どうしたらその流れに抗することができるでしょうか。本書のタイトル「歴史の逆流」とは、たがが外れた時代の潮流、侵略・暴力の時代の流れに抗ってゆくための学知を詰め込んだ包括的パッケージを意味している、と私たちは考えています。

人間にとっての幸福は一義的に定義できませんし、人によってさまざまですが、幸福を実現するための条件は多くの人に共通する部分があります。その条件を科学的に解明することなどは、学問の一つの役割といえましょう。たとえば、私の専門とする歴史学がいかなる学問なのか、英国のある歴史学者はこう述べています。一定の時代に現れ、創られた制度・組織・論理は、なぜその時代に現れ、創られたのだろうか、あるいは、その時代に生きた人々は、何のためにそのような制度・組織・論理を創ろうとしたのか、これを考えるのが歴史学だと(R・G・

コリングウッド、玉井治訳『思索への旅　自伝』、未來社、1981年)。

では、長谷部さんが専門とする憲法学(法学)や杉田さんが専門とする政治学は、いかなる学問なのでしょうか。最も簡潔で万能な説明として、ある時期の東京大学法学部長が進学生向けに行ったアピールを紹介しておきます。「あらゆる経済活動、行政の様々な作用、医療、科学技術の開発と応用、国際的協力活動、これらはすべて多様な角度から法的な規律を受け、その法的規律は一定の政治的条件によって支えられて」(西川洋一「本郷各学部案内　法学部」『教養学部報』565号、2014年)いるのだ、とのまとめです。

社会の諸事象を規律という側面から考察しようとする憲法学の手法と、その規律を支える条件を考察しようとする政治学の手法は、今回の鼎談でもその威力を存分に発揮してくれています。たとえば第2章で、投票率が低い理由を長谷部さんは、そもそもの小選挙区比例代表並立制という制度自体が、有権者を混乱させている点から説明しています。小選挙区制とは「どちらか勝てそうな上位2人のうちのどっちに入れるか、いわゆる戦略的な投票が要求されている」のに対し、比例代表制というのは「あなたの真心どおりに投票してください」(75頁)と言われているのと同義だから、と看破するのです。杉田さんはといえば、日本に政党政治が根付かない理由を考えたいとして、「なぜ人々が無党派になっているのかという分析のほうが重要」(78頁)と、別の観点からの深い問いを提示していました。

ここに挙げた議論の面白さは、ほんの一例に過ぎません。各章のテーマである、国内政治、ロシアのウクライナ侵攻、歴史観と憲法、国家と宗教などの問題群の一つ一つに、私たち3人は自ら育んだ固有の分析視角に従って、エコーチェンバー現象（価値観が同質な者同士の意見が仲間内で増幅される現象）とは正反対の、多面的な議論を展開しています。ただ、始まりの第1章では、日頃は冷静さで鳴らしている私たち3人も、安倍晋三政権や菅義偉政権に対しての否定的評価を明確に出しています。政治の失敗は自然現象ではなく、政治に関わる人々の行為の結果だからです。第2章からの転調にご期待ください。

今回の鼎談において、幾つもの問いを投げかけ、出口に向けた提言や対案を私たち3人から入念に引き出してくださったのは、朝日新聞編集委員の高橋純子さんでした。高橋さんの存在なしにこの本は生まれなかったというのは誇張ではありません。さらに、松尾信吾さんに編集をご担当いただけたのは私たち筆者にとって何より嬉しいことでした。私たちの鼎談が読みやすい流れにまとめられているとすれば、それは松尾さんの優れた手さばきのおかげです。

2022年11月

本書の第1章〜第4章は左記の鼎談を基に、加筆・再構成したものです。聞き手はすべて朝日新聞編集委員の高橋純子が担当しました。

- 「〈考論　長谷部×杉田＋加藤陽子〉コロナ対応・五輪強行、大戦時と重なる政府」（2021年8月20日付「朝日新聞」〔＝第1章と第2章〕）
- 「〈考論オンライン〉〈危機の政治〉と〈政治の危機〉を考える」（2021年8月21日〔＝第1章と第2章〕）
- 「〈考論　長谷部×杉田＋加藤陽子〉ウクライナ侵攻、歴史から考える」（2022年4月27日付「朝日新聞」〔＝第3章と第4章〕）
- 「〈考論オンライン〉〈侵略〉と〈戦争〉を考える」（2022年4月29日〔＝第3章と第4章〕）

以上に加え、本書の第5章と第6章は2022年7月29日に行われた鼎談を基に、加筆・再構成しました。

長谷部恭男　はせべ・やすお

1956年生まれ。東京大学卒業後、学習院大学教授、東京大学教授などを経て、早稲田大学法務研究科教授。著書に『憲法の良識』(朝日新書)、『戦争と法』(文藝春秋)、『神と自然と憲法と』(勁草書房)など多数。杉田敦氏との共著に『憲法と民主主義の論じ方』(朝日新聞出版)など。

杉田　敦　すぎた・あつし

1959年生まれ。東京大学法学部卒。東京大学助手、新潟大学助教授などを経て、法政大学法学部教授。専攻は政治理論。著書に『権力論』『境界線の政治学　増補版』(共に岩波現代文庫)、『政治的思考』(岩波新書)、など。長谷部恭男氏との共著に『これが憲法だ!』(朝日新書)など。

加藤陽子　かとう・ようこ

1960年生まれ。東京大学大学院人文科学研究科修了後、山梨大学助教授を経て、東京大学人文社会系研究科教授。著書に『模索する一九三〇年代』(山川出版社)、『満州事変から日中戦争へ』(岩波新書)、『天皇の歴史８　昭和天皇と戦争の世紀』(増補版、講談社学術文庫)、『天皇と軍隊の近代史』(勁草書房)など多数。

朝日新書
890

歴史の逆流
時代の分水嶺を読み解く

2022年12月30日 第1刷発行

著　者　長谷部恭男
杉田　敦
加藤陽子

発行者　三宮博信
カバーデザイン　アンスガー・フォルマー　田嶋佳子
印刷所　凸版印刷株式会社
発行所　朝日新聞出版
〒104-8011　東京都中央区築地5-3-2
電話　03-5541-8832（編集）
03-5540-7793（販売）

Published in Japan by Asahi Shimbun Publications Inc.
ISBN 978-4-02-295202-8
定価はカバーに表示してあります。

落丁・乱丁の場合は弊社業務部(電話03-5540-7800)へご連絡ください。
送料弊社負担にてお取り替えいたします。

朝日新書

歴史の逆流
時代の分水嶺を読み解く

長谷部恭男
杉田　敦
加藤陽子

大戦時と重なる日本政府のコロナ対応の失敗、核保有大国による独立国家への侵略戦争、戦後初の首相経験者の殺害……戦前との連続性ある出来事が続くなか、歴史からどのような教訓をくみ取るべきか。憲法学・政治学・歴史学の専門家が、侵略・暴力の時代に抗する術を考える。

どろどろのキリスト教

清涼院流水

キリスト教は世界史だ。全キリスト教史、超入門。教会誕生から21世紀現在のキリスト教までの2000年間を、50のどろどろの物語を通じて描く。キリスト教初心者でも読めるように、素朴な疑問からカルト宗教、今日的な問題まで盛り込んだ教養を高める読みものです。

名著入門
日本近代文学50選

平田オリザ

作家と作品名は知っていても「未読」の名著。そんな日本近代文学の名作群を、劇作家・演出家の著者が魅力的に読み解く第一級の指南書。樋口一葉から鷗外、漱石、谷崎、川端、宮沢賢治、三島由紀夫、司馬遼太郎らまで、一挙50人に及ぶ名著を紹介。本を愛する読書人必読の書。